Colette Samson

Amis 1 et compagnie

Livre de l'élève

www.cle-inter.com

Bonjour !

1 Écoute et réponds !

2 Écoute et observe bien ! Puis joue les scènes !

3 Regarde d'abord les images, puis écoute et note les lettres dans l'ordre ! Tu as deux écoutes !

Introduction 2

1 **Écoute et répète l'alphabet !**

2 **Chante le rap de l'alphabet de Théo !**

3 **Épelle les mots en français !**

Exemple : *alphabet* : A, L, P, H, A, B, E, T.

Maintenant, c'est à toi !

ski – judo – duel – taxi – sport – cristal – mode – caramel – pirate – vampire – robot – crocodile

4 **Ça s'écrit comment ? Écoute et répète !**

France, ça s'écrit avec un *f* majuscule.
français, ça s'écrit avec un *f* minuscule et un *c* cédille.
d'Artagnan, ça s'écrit avec une apostrophe !

5 **Écoute et écris sur une feuille les noms des héros du roman *Les Trois Mousquetaires* !**

1 ... 2 ... 3 ... 4 ... 5 ... 6 ...

6 **Et toi, tu t'appelles comment ? (Comment tu t'appelles ?)**

→ Je m'appelle ...

Épelle ton prénom en français !

Montre les héros du roman *Les Trois Mousquetaires* et présente-les !

Il s'appelle ... .
Elle s'appelle ... .

Introduction 3

1 Écoute, montre et répète les mots (à voix basse ou dans ta tête) !

2 Travaille avec ton voisin ou ta voisine !

3 Range les mots : recopie d'un côté les mots masculins et de l'autre les mots féminins.

une boutique – un café – un chocolat – un cinéma – une crème – une crêpe – un croissant – un film – un hôtel – un menu – un métro – une mousse au chocolat – un parfum – une quiche – un restaurant – une salade – un taxi – un thé

masculin : un cinéma
féminin : une boutique

Regarde le modèle et travaille avec ton voisin ou ta voisine !

Crêpe ?

… une crêpe !

4 Écoute, répète et montre les nombres de 1 à 10 sur la photo !

Introduction 4

1 Écoute et chante les nombres jusqu'à 20 !

0 zéro	**11** onze
1 un	**12** douze
2 deux	**13** treize
3 trois	**14** quatorze
4 quatre	**15** quinze
5 cinq	**16** seize
6 six	**17** dix-sept
7 sept	**18** dix-huit
8 huit	**19** dix-neuf
9 neuf	**20** vingt
10 dix	

2 Joue au loto ! Écris les huit nombres de 0 à 20.
Écoute et coche les nombres !

LOTO			
6	13	1	8
14	2	~~19~~	11

Continue à jouer au loto avec ton voisin ou ta voisine !

3 Écoute et montre le bon robot !

4 Ça s'écrit comment ? Écoute et répète !

croissant, ça s'écrit avec deux *s*.
cinéma, ça s'écrit avec un *e* accent aigu.
crème, ça s'écrit avec un *e* accent grave.
crêpe, ça s'écrit avec un *e* accent circonflexe.
volley-ball, ça s'écrit avec un trait d'union.

5 Épelle les mots en français !

Exemple : *vidéo* : V, I, D, E accent aigu, O.

Maintenant, c'est à toi !

bébé – jazz – hôtel – zèbre – façade – théâtre – détective – télévision – dix-huit – bibliothèque

Mes affaires

1 Écoute et regarde ! Qui parle ? Montre les personnages !

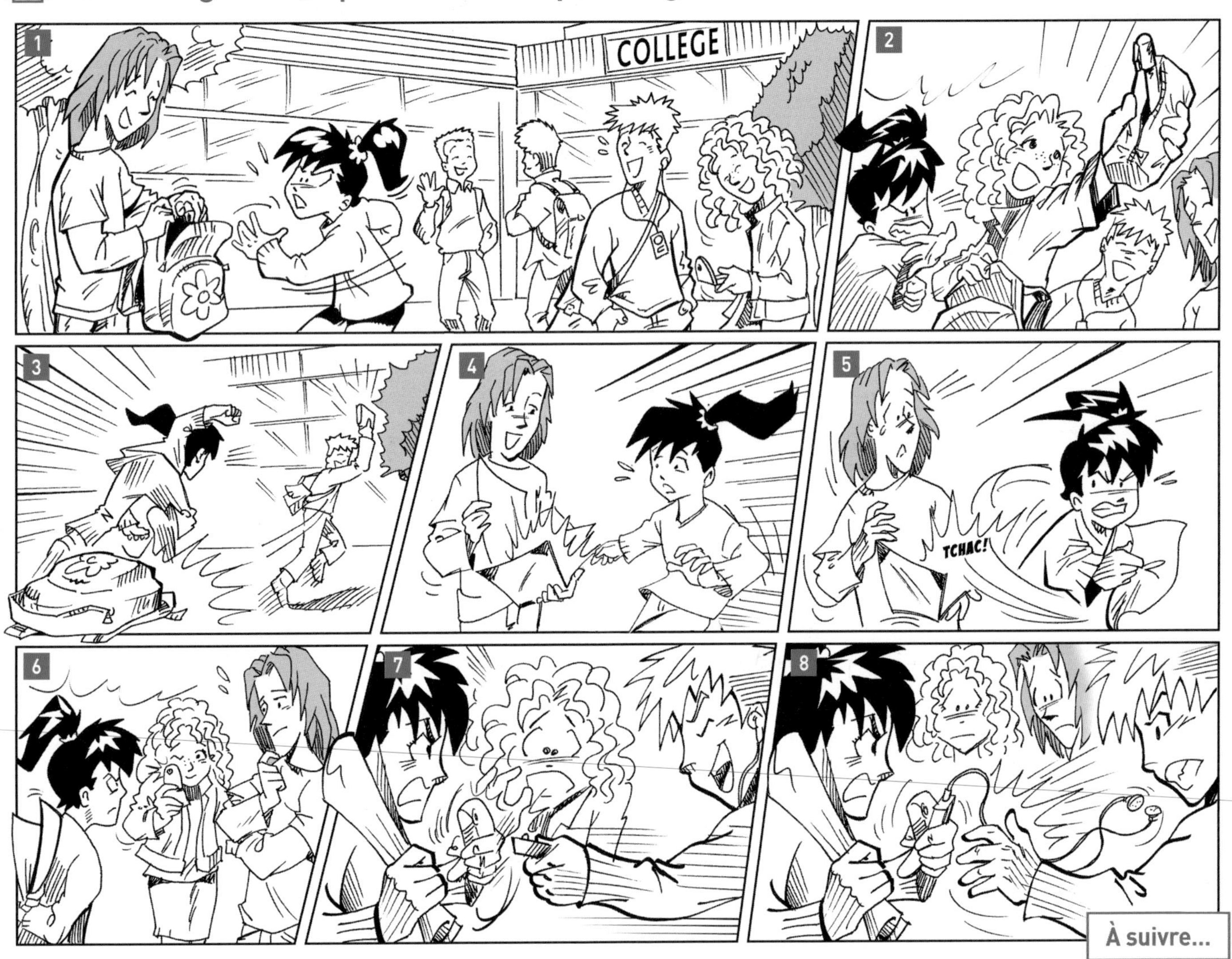

2 Écoute et complète à l'oral !

Exemples : Un sac ? C'est mon sac ! – Une trousse ? C'est ma trousse ! **Maintenant, c'est à toi !**

Un livre ? C'est ... ! – Un dessin ? C'est ... ! – Une photo ? C'est ... ! – Un portable? C'est ... ! – Un baladeur ? C'est ... ! – Une radio ? C'est ... !

3 Continue avec ton voisin ou ta voisine pour les mots suivants :

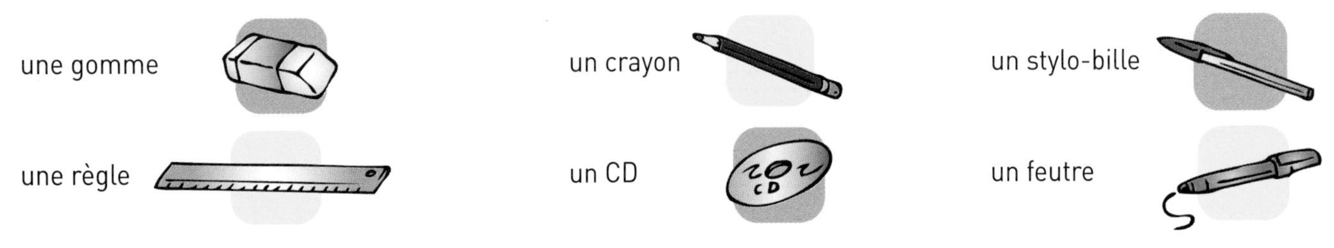

Exemple : Une gomme ? Hé ! C'est ma gomme ! Donne-moi ma gomme !

4 **Réécoute l'histoire, puis associe chacun des prénoms Théo, Agathe, Léa et Max au bon portrait !**

5 **Écoute et mets le bon numéro sous les portraits de Théo, Agathe, Léa et Max !**

Exemple : **1** Mon dessin !

masculin : un livre → mon livre
féminin : une règle → ma règle

6 **Travaille avec ton voisin ou ta voisine !**

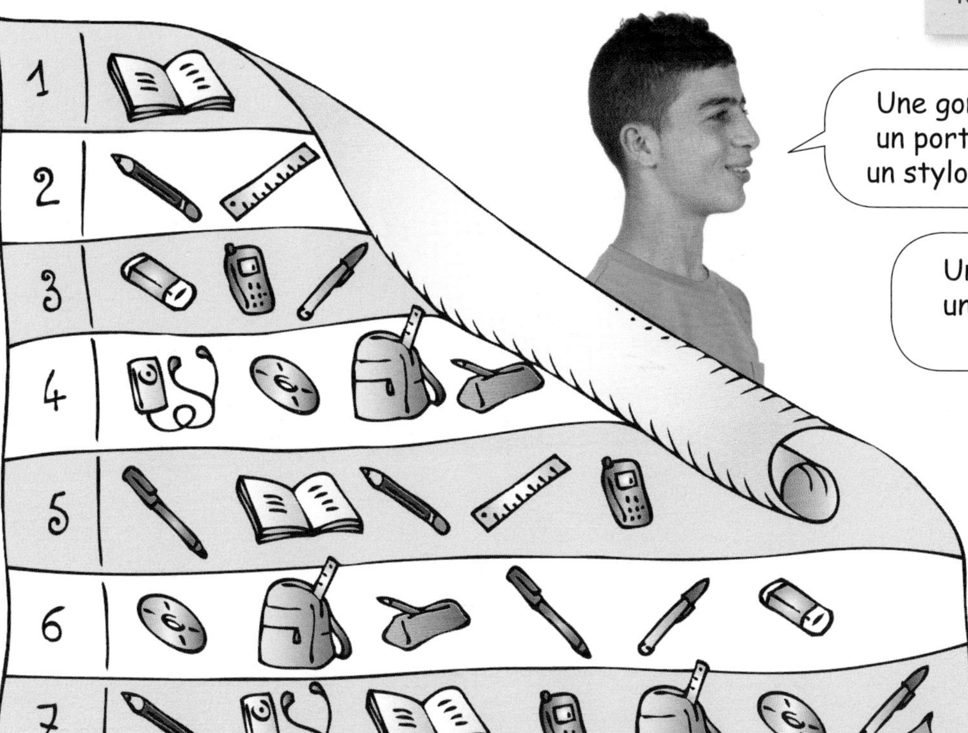

Prénoms français

Filles :	Garçons :
Juliette	Hugo
Zoé	Alex
Pauline	Lucas
Alice	Pierre
Léa	Max
Agathe	Théo

7 **Choisis une identité imaginaire ou un prénom français. Écoute ton voisin ou ta voisine (A) et réponds-lui (B) !**

Exemple : **A :** Comment tu t'appelles ?
B : Je m'appelle Dracula !
A : Comment ça s'écrit ?
B : Ça s'écrit D majuscule, R, A, C, U, L, A ! Et toi, comment tu t'appelles ?
A : Je m'appelle Cléopâtre ! etc.

Identités imaginaires

Falbala	Astérix
Hermione	Harry Potter
Pocahontas	Superman
Jane	Tarzan
Mary Poppins	King Kong
Cléopâtre	Dracula

Puis présente-toi et ton voisin ou ta voisine à la classe :

Moi, je m'appelle Cléopâtre ! Toi, tu t'appelles Dracula ! (C'est Dracula !)

1 Écoute et observe bien !

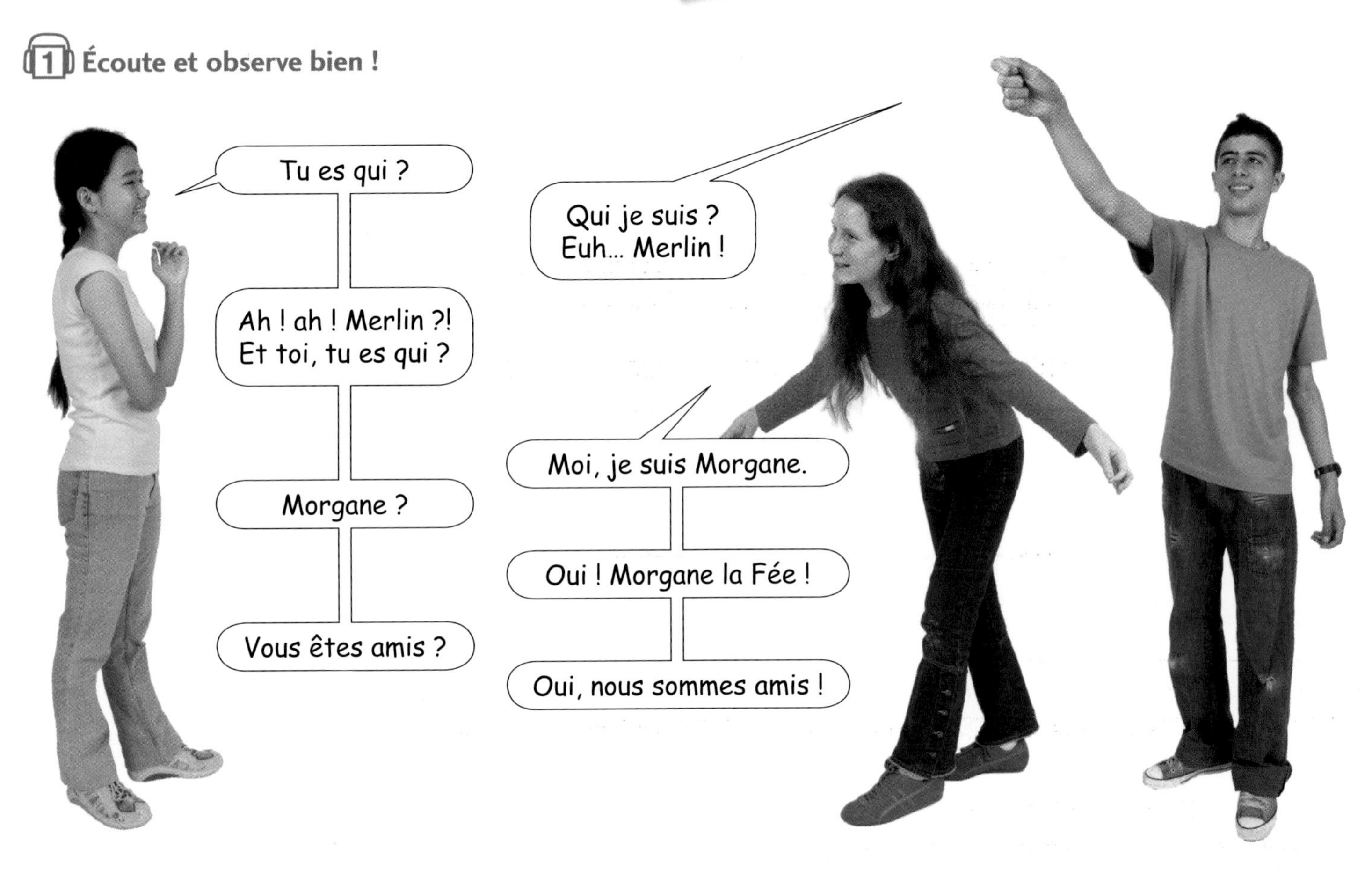

2 Joue maintenant avec tes voisins ou tes voisines : choisissez des prénoms français ou des identités imaginaires !

3 Écoute et répète ! Puis présente tes ami(e)s sur ce modèle !

4 Complète d'abord les phrases à l'oral ! Puis écoute pour vérifier !

... , je ... Merlin. Toi, ... es Morgane. Morgane ... une fée. Tu ... une fée ! ... et moi, nous ... amis ! C' ... super !

moi, je suis ...
toi, tu es ...
lui, il est ... (lui, c'est ...)
elle, elle est ... (elle, c'est ...)

5 Écoute et note les lettres dans l'ordre ! Tu as deux écoutes !

A C'est qui ? B C'est moi ! C C'est toi ? D C'est lui ! E C'est elle !

1 **Devine : qu'est-ce que c'est ? Échange avec ton voisin ou ta voisine sur ce modèle !**

un baladeur	un crayon
un dessin	un feutre
une gomme	un livre
une photo	un portable
une règle	un sac (à dos)
un stylo-bille	une trousse

Travaille avec les mots que tu connais déjà, et aussi :

un cahier 

un taille-crayon 

2 **Affirmation ou question ? Écoute et lève la main quand tu entends une question !**

Exemple : Bonjour, ça va ? (↗) Oui, ça va. (↘) **Maintenant, c'est à toi !**

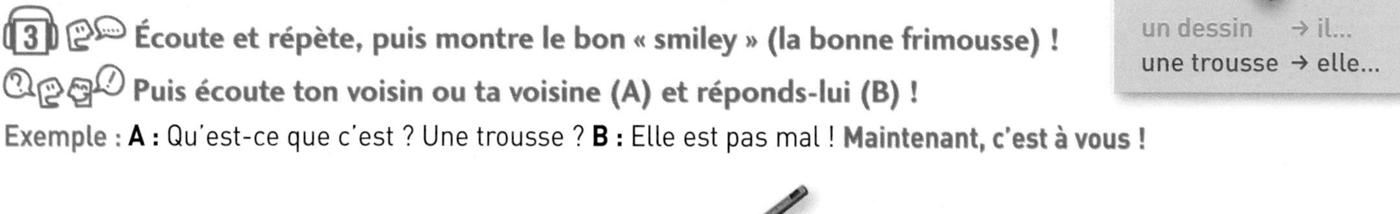

3 **Écoute et répète, puis montre le bon « smiley » (la bonne frimousse) !**

Puis écoute ton voisin ou ta voisine (A) et réponds-lui (B) !

Exemple : A : Qu'est-ce que c'est ? Une trousse ? **B :** Elle est pas mal ! **Maintenant, c'est à vous !**

un dessin → il...
une trousse → elle...

nul / nulle | pas mal | très bien | super | génial / géniale

4 **Écoute et mime ! Puis donne des instructions à ton voisin ou à ta voisine sur ce modèle !**

Prends ton livre. Pose ton livre. Prends ta trousse. Pose ta trousse. Prends ton cahier et ton crayon. Donne-moi ton cahier, pose ton crayon. Prends ta règle et ton stylo-bille, etc. Bravo !

Les Trois Mousquetaires

Écoute et regarde la BD de Max ! Puis joue la scène avec tes camarades !

1. Un duel : *combat entre deux personnes.* – 2. Les gardes du cardinal : *le cardinal Richelieu est à cette époque ministre de Louis XIII. Ministre puissant, il crée sa propre troupe de police, ses « gardes », chargés d'interdire entre autres la pratique des duels.*

Unité 1 On récapitule !

Consignes de classe

Associe !
Ça s'écrit comment ?
Chante (le rap) !
Choisis !
Complète !
Continue !
Devine !
Écoute !
Écris !
Épelle (les mots) !
Joue (au loto) !
Lève la main !
Maintenant, c'est à toi !
Mets (le bon numéro) !
Montre !
Note dans l'ordre !
Observe bien !
Présente(-toi) !
Range (les mots) !
Recopie !
Regarde !
Répète !
Réponds !
Travaille... !

Communication

Tu sais maintenant...

- **saluer, te présenter et prendre congé :**
  Salut ! Bonjour !
  Bonjour, monsieur ! Bonjour, madame !
  Ça va ? Ça va, merci. Oui, non.
  Ça ne va pas. Ça va mal.
  Tu t'appelles comment ? Tu es qui ?
  Je m'appelle ... Je suis... Moi, c'est...
  Au revoir !
- **compter de 0 à 20**
- **identifier quelque chose ou quelqu'un :**
  C'est quoi ? Qu'est-ce que c'est ? C'est qui ?
  C'est mon sac. C'est lui. C'est toi. C'est moi.
- **demander à quelqu'un de faire quelque chose :**
  Donne-moi ... ! Prends ... ! Pose ... !
- **donner ton opinion :**
  (C'est) nul, pas mal, très bien, super, génial. Bravo !
- **épeler un mot :** A, L, P, H, A, B, E, T...
- **exprimer ta douleur, ta surprise :** Aïe ! Ouille ! Hé !
- **t'excuser :** Pardon !

Vocabulaire

Matériel scolaire, affaires personnelles et autres...

un ami / une amie
un baladeur
un cahier
un CD
un crayon
un dessin
un feutre
une gomme
un livre
une photo
un (téléphone) portable*
une règle
un sac (à dos)
un stylo-bille
un taille-crayon
une trousse

Verbes

aller (ça va)
s'appeler
donner
(s') écrire
être
poser
prendre

Adjectifs, adverbes et interjections

ah ! ah !
aïe !
bravo !
(très) bien
génial
hé !
nul
pas mal
oh !
ouille !
pardon !
super

Nombres de 0 à 20

zéro
un
deux
trois
quatre
cinq
six
sept
huit
neuf
dix
onze
douze
treize
quatorze
quinze
seize
dix-sept
dix-huit
dix-neuf
vingt

* On dit aussi « un (téléphone) mobile ».

Grammaire

Le masculin et le féminin

	Pronoms sujets et toniques	Articles indéfinis	Adjectifs possessifs 1re pers. du sing.
masculin	il / lui	un	mon
féminin	elle / elle	une	ma (ou mon*)

devant une voyelle* **a, **e**, **i**, **o**, **u**, **y** *ou un* **h** *muet*

un taille-crayon – une trousse – un ami – une amie.
C'est mon taille-crayon. – C'est ma trousse.
C'est Merlin, mon ami. – C'est Morgane, mon amie.

Les pronoms toniques au singulier

Moi, je suis... – Toi, tu es... – Lui, c'est... – Elle, elle s'appelle...
C'est moi ! C'est toi ! C'est lui ! C'est elle !

Les verbes *être* et *s'appeler*

être : je suis, tu es, il / elle est, nous sommes, vous êtes, ils / elles sont
s'appeler (au singulier) : je m'appe**ll**e, tu t'appe**ll**es, il / elle s'appe**ll**e...

Les pronoms interrogatifs *qui ?, quoi ?*

C'est **qui** ? = **Qui** c'est ? (Qui est-ce ?) *La question porte sur quelqu'un.*
C'est **quoi** ? = **Qu'est-ce que** c'est ? *La question porte sur quelque chose.*

L'adverbe interrogatif *comment ?*

Ça va **comment ?** = **Comment** ça va ?
Tu t'appelles **comment** ? = **Comment** tu t'appelles ?
Ça s'écrit **comment** ? = **Comment** ça s'écrit ?

Phonétique

L'interrogation montante

Affirmation (.)	Question (?)
C'est une trousse. ↘	C'est une trousse ? ↗
Ça va. ↘	Ça va ? ↗
Vous êtes amis. ↘	Vous êtes amis ? ↗

Stratégies

Pour mieux apprendre...

- Écoute bien le CD et cherche à comprendre la situation (sketch) ou l'activité (exercice).
- Ensuite, répète et pratique pour t'entraîner à la prononciation et mémoriser.
- Enfin, réutilise toi-même, tout(e) seul(e) ou avec ton voisin ou ta voisine, les mots et les expressions.

Culture et civilisation

Un collège dans le Midi

Un collège en Auvergne

Un collège en Bretagne

Du matériel scolaire

Moi et ma famille

1 Écoute bien et regarde ! Tu as compris ?

2 Écoute et choisis la bonne bulle ! Attention, il y a un « intrus » !

- A J'ai 11 ans.
- D J'ai 14 ans.
- B J'ai 12 ans.
- E J'ai 15 ans.
- C J'ai 13 ans.

Et toi, tu as quel âge ? Tu as 11 ans ? 12 ans ? 13 ans ? 14 ans ? 15 ans ? ... ?

→ J'ai ... ans !

3 **Que dit Léa ? Relie les morceaux de phrases !**

Le dessin est ▸	◂ très bien.
La photo est ▸	◂ super.
Le rap est ▸	◂ génial.

4 **Écoute et répète (à voix basse ou dans ta tête) ! Puis relie le mot avec le nombre !**

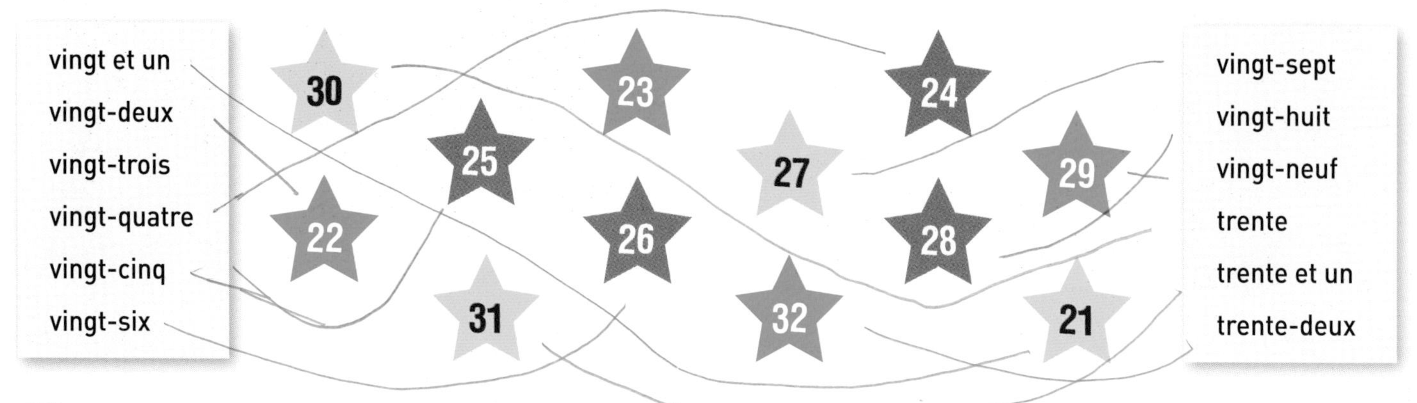

5 **Écoute et lève la main quand tu entends ton mois de naissance !**

6 **Écoute une deuxième fois et recopie les mois d'anniversaire dans l'ordre !**

septembre mars juillet octobre janvier mai
février avril décembre juin août novembre

7 **Et toi, ton anniversaire, c'est quand ?**

→ C'est le ... !

8 **Écoute et répète la chanson !**

Joyeux anniversaire,
Joyeux anniversaire,
Joyeux anniversaire, Léa,
Joyeux anniversaire !

Un bisou sur ta joue,
Une fleur sur ton cœur,
Un sourire pour te dire :
« Joyeux anniversaire ! »

9 **Écoute bien ! Puis fais un sondage dans la classe !**

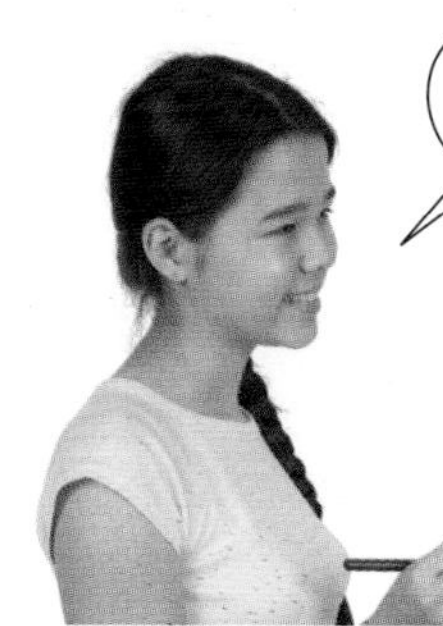

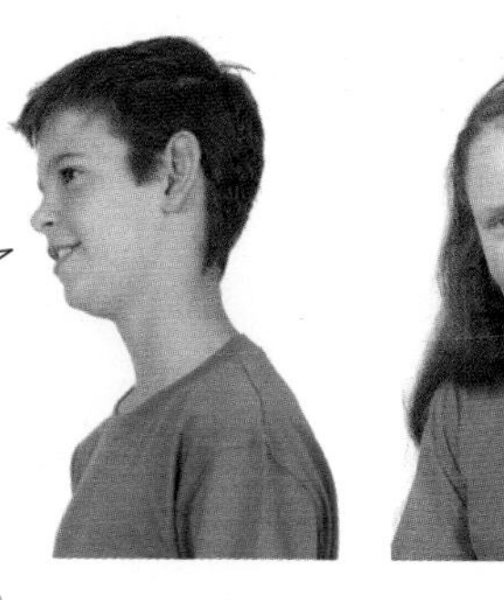

1 Écoute et montre la bonne photo !

Observe bien !

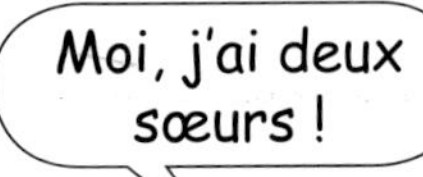

J'ai une sœur et un frère !

Je n'ai pas de sœur et je n'ai pas de frère !

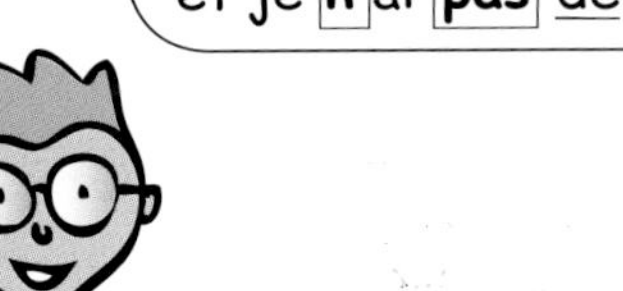

singulier : un frère – une sœur
pluriel : deux frères – trois sœurs

2 Et toi ? Tu as une sœur ? Tu as un frère ? (Tu as une demi-sœur ? Tu as un demi-frère ?) Tu n'as pas de sœur ? Tu n'as pas de frère ? (Tu es fils unique ? Tu es fille unique ?)
→ Moi, je (j') ... !

3 Écoute et note les lettres dans l'ordre ! Tu as deux écoutes !
Exemple : A Voici mon père ! Il s'appelle Antoine.

4 À toi ! Montre des photos (ou des dessins) et présente ta famille (réelle ou imaginaire) !

C'est mon père ! Il s'appelle Zorro !

mon père	ma mère
mon grand-père	ma grand-mère
mon oncle	ma tante
mon frère	ma sœur

1 Écoute et regarde !

2 Écoute et répète ! Puis regarde les exemples et réponds aux questions !

un chien

un lapin

une souris

une tortue

un hamster

un poney

singulier : un poisson
une souris
pluriel : des poissons
des souris

Et toi, tu as un animal ? Tu as un chien ? une tortue ? un hamster ? des poissons ?

Exemples : – Oui, j'ai un chien. Il s'appelle Rex. Il a trois ans.
– Non, je n'ai pas **d'**animal ! – Non, je n'ai **pas de** tortue ! – Non, je n'ai **pas de** hamster ! – Non, je n'ai **pas de** poissons !

3 Écoute le modèle ! Puis associe et pose la question à ton voisin ou à ta voisine !

Exemples : 1-A Ce sont tes perruches ? *Réponse :* Non, je n'ai pas de perruches !
1-B C'est ton chat ? *Réponse :* Oui, c'est mon chat !

4 Le « e muet » → Écoute ! Tu entends un « e » à la fin des mots *père, mère, frère*, etc. ? Maintenant chante le rap !

Mon père, ma mère, mon frère sont là pour mon anniversaire !

un chien → ton chien
une tortue → ta tortue
des chats → tes chats

Les Trois Mousquetaires

Écoute et regarde la BD de Max ! Puis choisis un rôle et joue-le !

1. Femme de chambre de la reine : *domestique au service de la reine*. – 2. Un agent secret : *un espion / une espionne*.

Consignes de classe

Écoute le modèle !
Choisis la bonne bulle !
Fais un sondage !
Pose la question !
Relie (les phrases) !
Tu as compris ?
Attention, il y a un intrus !

Communication

Tu sais maintenant...

■ dire ton âge et ta date d'anniversaire :

Tu as quel âge ?
J'ai 14 (quatorze) ans.
Ton anniversaire, c'est quand ?
Mon anniversaire, c'est le...
Bon (joyeux) anniversaire !

■ compter jusqu'à 39

■ présenter tes amis, ta famille, tes animaux :

Voici Max. C'est mon ami.
Tu as un frère ? une sœur ?
J'ai un frère. Je n'ai pas de sœur.
Mon père s'appelle Antoine. Voilà ma mère.
Tu as un chat ? un hamster ?
J'ai un lapin. Je n'ai pas de tortue.

Vocabulaire

Famille, anniversaire et... personnages

l'âge *(m.)*
un an
un anniversaire
la famille

la fille (unique)
le fils (unique)
le frère, le demi-frère
la grand-mère
le grand-père

la mère
l'oncle *(m.)*
le père
la sœur, la demi-sœur
la tante

le mousquetaire
la reine
le roi

l'idée *(f.)*

Animaux domestiques

un animal / des animaux
un chat
un cheval / des chevaux

un chien
un hamster
un lapin

une perruche
un poisson
un poney

une souris
une tortue

Mois de l'année

janvier
février
mars

avril
mai
juin

juillet
août
septembre

octobre
novembre
décembre

Conjonctions, prépositions et verbe

et

ou

voici / voilà

avoir

Nombres de 21 à 39

vingt et un
vingt-deux

vingt-trois
vingt-quatre

vingt-cinq
vingt-six

vingt-sept
vingt-huit

vingt-neuf
trente

trente et un
trente-deux...

Grammaire

Le masculin, le féminin et le pluriel

	Articles indéfinis	Articles définis	Adjectifs poss. 1re pers. sing.	Articles poss. 2e pers. sing.
masculin	un	le	mon	ton
féminin	une	la	ma (ou mon*)	ta (ou ton*)
pluriel	des	les	mes	tes

devant une voyelle* **a, **e**, **i**, **o**, **u**, **y** *ou un* **h** *muet*

Le verbe *avoir*

j'ai, tu as, il / elle a, nous avons, vous avez, ils /elles ont

La négation

Tu as un frère ? Non, je **n'**ai **pas** de frère.
Tu as une tortue? Non, je **n'**ai **pas** de tortue.
Tu as des poissons ? Non, je **n'**ai **pas** de poissons.
Tu es mon ami ? Non, je **ne** suis **pas** ton ami.

L'apostrophe (devant une voyelle *a, e, i, o, u, y* ou un *h* muet)

ce sont / **c'**est
je suis / **j'**ai
je ne suis pas / je **n'**ai pas
je me présente / je **m'**appelle
un animal / **l'**animal
pas **de** photos / pas **d'**amis

Les présentatifs *voici / voilà ; c'est / ce sont*

Ils servent à présenter quelqu'un ou à montrer quelque chose.
Voici ma mère. – C'est mon père. – Voici ma tortue. – Voilà mes poissons.
J'ai une tortue et **des** poissons : c'est ma tortue ; ce sont **mes** poissons.

Phonétique

Le « e muet » : père, mère, frère...

Stratégies

Pour mieux comprendre et apprendre...

- Si tu ne comprends pas un mot, tu peux dire : « Je ne comprends pas. Répétez, s'il vous plaît ! »
- Compare les mots français avec des mots de ta langue maternelle ou des mots d'une autre langue que tu connais : s'ils se ressemblent, tu pourras les apprendre plus facilement !
- Utilise les mots français que tu connais déjà pour en former d'autres sur le même modèle. Exemple : *vingt-trois* → *trente-trois*.

Culture et civilisation

Deux chanteurs français...

Fais des recherches sur d'autres chanteurs ou acteurs français !

Mes goûts

1 Écoute et montre en bas (exercice 2) les bonnes images !

2 Écoute et répète (à voix basse ou dans ta tête) !

du fromage

de la pizza

du coca

de la salade

des chips

de l'eau

du jus d'orange

des sandwichs

du poisson

de la glace

du gâteau au chocolat

3 **Écoute et complète à l'oral ! Qu'est-ce qu'il y a pour la fête d'anniversaire de Léa ?**

Exemples : La pizza ? Il y a de la pizza ? – Oui ! – Le poisson ? Il y a du poisson ? – Non ! **À toi !**

La salade ? Il y a ... ? – ... !
Le coca ? Il y a ... ? – ... !
Les chips ? Il y a ... ? – ... !
L'eau ? Il y a ... ? – ... !
La glace ? Il y a ... ? – ... !
Les sandwichs ? Il y a ... ? – ... !
Le jus d'orange ? Il y a ... ? – ... !
Le gâteau au chocolat ? Il y a ... ? – ... !
La pizza ? Il y a ... ? – ... !
Le fromage ? Il y a ... ? – ... !

le fromage → du fromage
la pizza → de la pizza
l'eau → de l'eau
les chips → des chips

4 **Regarde la photo prise par Agathe ! Écoute, répète les mots (et donne le bon numéro) !**

Il y a... du melon, du camembert, des olives, des croissants, des crêpes, de la crème caramel, de la quiche, du pain, du nougat et des escargots !

5 **Regarde bien la photo ! Puis ferme ton livre (ou ferme les yeux) et joue avec ton voisin ou ta voisine !**

Il y a des crêpes ?

Oui, les crêpes, c'est le numéro 5 !

Il y a de la pizza ?

... Non, il n'y a pas de pizza !

du camembert → pas de camembert
de la quiche → pas de quiche
de l'eau → pas d'eau
des escargots → pas d'escargots
des chips → pas de chips

Utilise les mots que tu connais :

camembert – crème caramel – chips – coca – crêpes – croissants – eau – escargots – fromage – gâteau au chocolat – glace – jus d'orange – melon – nougat – olives – pain – pizza – poisson – quiche – salade – sandwichs

1 Écoute bien ! Puis joue avec ton voisin ou ta voisine !

Exemples : *A montre une image.* **B :** Tu veux du fromage ? **A :** Oui, je veux bien, merci !

A montre une autre image. **B :** Tu veux de l'eau ? **A :** Oui, je veux bien, merci ! etc.

2 Écoute ! Qu'est-ce qu'il aime, Max ? Qu'est-ce qu'elle aime, Léa ? Coche les bonnes réponses ! Tu as deux écoutes.

Max aime le coca ☐, les chips ☐, le nougat ☐, le chocolat ☐, les sandwichs ☐, la pizza ☐.

Léa aime le melon ☐, la crème caramel ☐, le poisson ☐, le coca ☐, la glace ☐, les crêpes ☐.

3 Écoute l'exemple, puis dis ce qu'Agathe et Théo aiment et n'aiment pas !

Exemple : Agathe aime la glace. Elle **n'**aime **pas** les olives. **Maintenant, c'est à toi !**

4 Complète à l'oral !

Exemples : Tu veux des crêpes ? – Oui, j'aime les crêpes. Tu veux du pain ? – Non, je n'aime pas le pain.

1 Tu veux ... jus d'orange ? – Oui, j'aime ... jus d'orange. **2** Tu veux ... quiche ? – Non, je n'aime pas ... quiche. **3** Tu veux ... camembert ? – Oui, j'aime ... camembert. **4** Tu veux ... pizza ? – Non, je n'aime pas ... pizza. **5** Tu veux ... chips ? – Oui, j'aime ... chips. **6** Tu veux ... olives ? – Oui, j'aime ... olives.

1 Écoute et répète (à voix basse ou dans ta tête) !

le poulet

les bananes

les hamburgers

les tomates

les frites

les pommes

2 Interroge ton voisin, ta voisine ! Utilise tous les mots que tu connais !

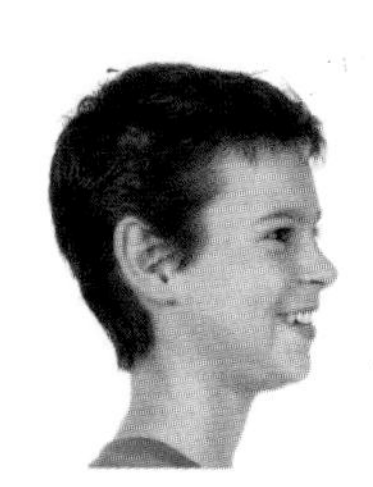

Qu'est-ce que tu aimes ?

... les frites ?

... les tomates ?

Euh... oui, j'aime les frites !

Non, je n'aime pas les tomates !

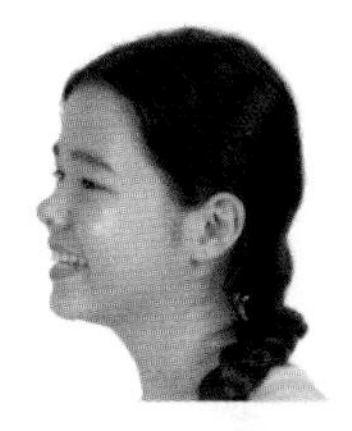

3 Écoute et observe bien !

J'aime... 

le poisson, la salade
et... mon portable !

J'adore... 

la glace, ...ma grand-mère
et mon chat !

Je n'aime pas... 

les olives et...
les hamburgers !

Je déteste... 

les escargots et
les tortues. Beurk !

Et toi ? Qu'est-ce que tu aimes ? Qu'est-ce que tu adores ? Qu'est-ce que tu n'aimes pas ? Qu'est-ce que tu détestes ? Présente tes goûts ! (Utilise le vocabulaire du matériel scolaire et des affaires personnelles, des animaux, de la famille, des aliments et des boissons, etc.).

4 Écoute et chante la chanson de Théo !

J'aime le coca, le chocolat, le nougat et la pizza...
Les escargots et les gâteaux, les photos, les animaux !
Je déteste les anniversaires et le camembert,
Et puis j'adore le melon, le poisson et cette chanson !

5 **Les sons [ɔ̃] et [ɑ̃] → Attention ! Tu entends le son [ɔ̃] de *onze* combien de fois ? Deux, trois, quatre, cinq fois ? Tu as deux écoutes !**

Les Trois Mousquetaires

Écoute et regarde la BD de Max ! Puis joue la scène avec tes camarades !

Mais... il n'y a pas de champagne ?
9

De la soupe ?
Euh... oui, je veux bien, merci !
10

Oh ! Il y a du poulet ?
J'adore...
11

Non, non merci !
Je n'aime pas, euh... non...
12

...Du fromage ?
Non, je ne veux pas de fromage, merci !
13

Pas de glace ? Pas de crème caramel ?
Pas de gâteau ?
14

Je déteste l'eau !
Je déteste la soupe !
Je déteste Madame Coquenard !
...Et j'ai faim !
15
À suivre...

Consignes de classe

Coche les bonnes réponses !
Tu as deux écoutes !
Ferme (les yeux) !
Interroge ton voisin !
Tu entends le son ... combien de fois ?
Utilise (les mots) !

Communication

Tu sais maintenant...

- **exprimer tes goûts :**
  Qu'est-ce que tu aimes ?
  J'aime le chocolat.
  Tu aimes la soupe ?
  Je n'aime pas la soupe.
  Qu'est-ce que tu détestes ?
  Je déteste la salade.
  Qu'est-ce que tu adores ?
  J'adore le camembert.
- **identifier quelque chose :**
  Il y a des frites ?
  Il y a du fromage, de la pizza...
- **exprimer une demande :**
  Tu veux... ?
  Je veux... Je ne veux pas...
  Je veux bien... Non, merci.
  J'ai faim !
- **chercher un mot, hésiter :**
  Euh...

Vocabulaire

Nourriture... (aliments et boissons)

la banane
le camembert
le champagne
les chips *(f. pl.)*
le chocolat
le coca
la crème caramel
la crêpe
le croissant
l'eau *(f.)*
l'escargot *(m.)*
les frites *(f. pl.)*
le fromage
le gâteau
la glace
le hamburger
l'invitation (f.)
le jus d'orange
le melon
le nougat
le numéro
l'olive *(f.)*
le pain
la pizza
le poisson (U 2)
la pomme
le poulet
la quiche
la salade
le sandwich
la soupe
la tomate

Verbes

adorer
aimer
avoir (il y a)
avoir faim
détester
dîner
vouloir

Adverbes, conjonction, interjections et prépositions

d'abord
Ah bon ?
alors
avec
après
Ça alors !
chez
et puis
euh...
mais
pour

Certains mots, introduits dans les consignes ou la BD, n'ont pas été l'objet d'un entraînement systématique et n'apparaissent pas ici. Ils sont toutefois indiqués en italique quand ils seront ou pourront être réutilisés plus tard.

Grammaire

Le verbe *vouloir* au singulier

je veux, tu veux, il / elle veut

Des verbes en *-er* au singulier

aimer : j'aim**e**, tu aim**es**, il / elle aim**e**
détester : je détest**e**, tu détest**es**, il / elle détest**e**
adorer : j'ador**e**, tu ador**es**, il / elle ador**e**

Terminaisons des verbes en *-er* au singulier

1re personne	**je (j')**	...	**-e**
2e personne	**tu**	...	**-es**
3e personne	**il /elle**	...	**-e**

Les partitifs

	Articles partitifs	Articles indéfinis
masculin	de + le = **du**	un
féminin	de + la = **de la**	une
masculin / féminin singulier*	de + l = **de l'**	
pluriel	de + les = **des**	des

devant une voyelle* **a, **e**, **i**, **o**, **u**, **y** *ou un* **h** *muet*

Tu veux **du** poulet ? (= *un morceau de ce poulet*)
Je veux **de la** quiche. (= *une part de cette quiche*)
Et moi, je veux **de l'**eau. (= *un peu de cette eau*)

L'expression *il y a...*

Qu'est-ce qu'il y a ? Il y a du coca ? ↗
Non, il y a du jus d'orange.
Il y a des chips. Il n'y a pas de gâteaux !

Phonétique

Les sons [ɔ̃] et [ɑ̃] : poisson, croissant...

Stratégies

Pour mieux apprendre...

■ Fabrique-toi un « fichier dictionnaire » ! Copie les mots ou les phrases en français sur des fiches ou des cartes. Au verso, écris-les dans ta langue et illustre-les. Mets-les au fur et à mesure dans une boîte.

■ Tu peux aussi recopier des mots ou des phrases sur des feuilles, des étiquettes ou des posters et les afficher chez toi, ou sur des « mobiles » et les suspendre au plafond !

Culture et civilisation

Quelques produits de France...

Melon et olives de Provence

Camembert et pommes de Normandie

Fromage du Pays Basque

Crêpes et cidre de Bretagne

Repère le nom des régions sur la carte de France !

On révise et on s'entraîne pour le DELF A1 !

Document à photocopier !

Nom : .... **Prénom :** ....

Compréhension de l'oral (10 points)

1 Écoute et coche la bonne réponse ! Lis d'abord les phrases. Tu as deux écoutes !

1 Voici Clara.

☐ Elle a 13 ans.
☐ Elle a 16 ans.
☐ Elle a 17 ans.

2 Elle a...

☐ un frère et une sœur.
☐ deux sœurs et un frère.
☐ pas de sœur et un frère.

2 Écoute et numérote les situations ! Regarde d'abord les images ! Tu as deux écoutes !

Image A	Image B	Image C
Situation n° ...	Situation n° ...	Situation n° ...

Compréhension des écrits (10 points)

1 Lis et coche les bonnes réponses !

À :

Copie :

Objet : Invitation

Salut les amis !
Je vous invite à mon anniversaire le 16 janvier ! Besoin d'une idée pour mon cadeau ? J'ai un portable, mais je n'ai pas de baladeur… J'aime les CD ! Et j'adore les caramels et les gâteaux…
À bientôt !
Lucas

1 Ce message s'adresse...

☐ à Lucas.
☐ à une amie.
☐ à des amis.

2 Pour son anniversaire, Lucas veut...

☐ des caramels.
☐ des livres.
☐ un portable.

2 Lis les trois cartes et écris le nom correspondant !

C'est moi, Juliette !
Je n'ai pas de baladeur : la musique, c'est pas mal, mais les livres, c'est très bien ! Les romans avec beaucoup d'action, j'adore !

Bonjour !
Les amis, c'est génial ! Mais les animaux, c'est vraiment ce que j'aime : les chats, les chiens, et surtout les chevaux : ils sont super ! Alice

Salut ! J'ai un portable, mais les portables, c'est nul. Moi, ce que j'aime, c'est la musique, les chansons : avec mon baladeur, c'est génial ! Pauline

Elle aime la musique et elle déteste les portables : ....

Elle adore les livres et elle n'aime pas trop la musique : ....

Elle adore ses amis, mais elle aime surtout les animaux : ....

Production écrite (10 points)

1 Complète !

Une super invitation pour ton anniversaire !

Remplis et renvoie cette fiche au " Club des Trois Mousquetaires " !

Nom : ....

Prénom : ....

Âge : ....

N° de téléphone : ....

Date d'anniversaire : ....

2 Tu écris à un(e) correspondant(e) : Tu présentes ta famille réelle ou imaginaire ! (20 mots environ)

Voici ma famille : ...

Production et interaction orales (10 points)

Présente-toi !

Tu t'appelles comment ?
Ton nom, ça s'écrit comment ?
Tu as quel âge ?
Tu as des frères et des sœurs ?
Tu as un animal domestique ?
Qu'est-ce que tu aimes ? Qu'est-ce que tu n'aimes pas ?
Qu'est-ce que tu détestes ? Qu'est-ce que tu adores ?

Mes passe-temps

1 Écoute et observe bien !

À suivre...

Image 1
Théo, Agathe, Max : Faire un livre ? Ça alors !

Image 2
Léa : Dans un livre, il y a des dessins.
Max : Oui !
Léa : Et toi, tu dessines, non ?
Max : Ben, oui !

Image 3
Léa : Dans un livre, il y a des photos, non ?
Agathe : Euh... oui !
Léa : Et toi, tu fais des photos !

Image 4
Léa : Dans un livre, il y a de la musique...
Théo : Oui, et moi, je fais de la musique.
Léa : Oui, c'est ça. Alors...

Image 5
Max, Théo, Agathe : Bon. On fait un livre. Et toi ? Qu'est-ce que tu fais ?
Léa : Moi ? Je... euh... j'écoute..., je regarde..., je travaille !

2 Écoute et répète (à voix basse ou dans ta tête) ! Qu'est-ce que tu fais ?

Je regarde la télévision.

J'écoute de la musique.

Je dessine.

Je travaille.

Je fais des photos.

Je fais de la musique.

Je fais du cinéma.

Je joue à l'ordinateur.

3 **Regarde et réponds : vrai (V) ou faux (F) ?**

Je travaille.

V ☐ F ☑

Je dessine.
V ☑ F ☐

Je joue à l'ordinateur.
V ☑ F ☐

Je regarde la télé.
V ☐ F ☑

Je fais des photos.
V ☑ F ☐

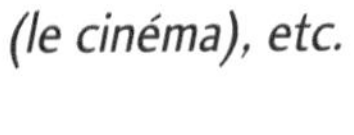

4 **Écoute et observe, puis continue avec ton voisin ou ta voisine ! Utilise tous les verbes en *-er* que tu connais :** *travailler, regarder (la télévision), écouter (de la musique), dessiner, aimer (les animaux), adorer (le cinéma), etc.*

> **Les verbes en *-er* :**
> je regarde
> tu regardes
> il / elle / on regarde

5 **Écoute l'exemple, puis complète à l'oral (A) avec ton voisin ou ta voisine (B) !**

Exemple : Tu regardes la télé ou tu travailles ?

A : Euh... je travaille ! **B :** Non, il **ne** travaille **pas**... il regarde la télé !

Maintenant, c'est à vous !

1 Tu joues à l'ordinateur ou tu dessines ?
2 Tu écoutes de la musique ou tu fais des photos ?
3 Tu aimes les livres ou tu aimes la musique ?
4 Tu aimes le cinéma ou tu aimes le sport ?

> **La négation**
> – Il dessine ? Non, il **ne** dessine **pas.**
> – Il fait des photos ? Non, il **ne** fait **pas** de photos.
> – Il aime les livres ? Non, il **n'**aime **pas** les livres.

1 Écoute et répète ! Puis associe chaque phrase à une image !

Je fais du sport.
Je fais du vélo.
Je fais du cheval.
Je fais du judo.
Je fais du ski.
Je fais de la moto.
Je fais du roller.
Je fais du jogging.
Je fais de la planche à voile.

2 Écoute et réponds ! Puis compare avec tes amis !

Exemples : Faire des photos ? Bof ! – Faire du sport ? C'est très bien. – Faire du ski ? C'est génial !

:-(	:-[	:-I	:-)	:-D	8-D
C'est nul !	Bof !	C'est pas mal.	C'est très bien.	C'est super !	C'est génial !

Maintenant, c'est à toi !

1 Faire du sport ? **2** Regarder la télévision ? **3** Faire du roller ? **4** Faire du vélo ? **5** Dessiner ? **6** Faire du judo ? **7** Faire du ski ? **8** Écouter de la musique ? **9** Faire de la moto ? **10** Faire du jogging ? **11** Faire de la musique ? **12** Faire des photos ? **13** Faire de la planche à voile ? **14** Faire du cinéma ? **15** Faire du cheval ? **16** Jouer à l'ordinateur ?

3 Joue avec ton voisin ou ta voisine ! Mime un sport : il (elle) devine !

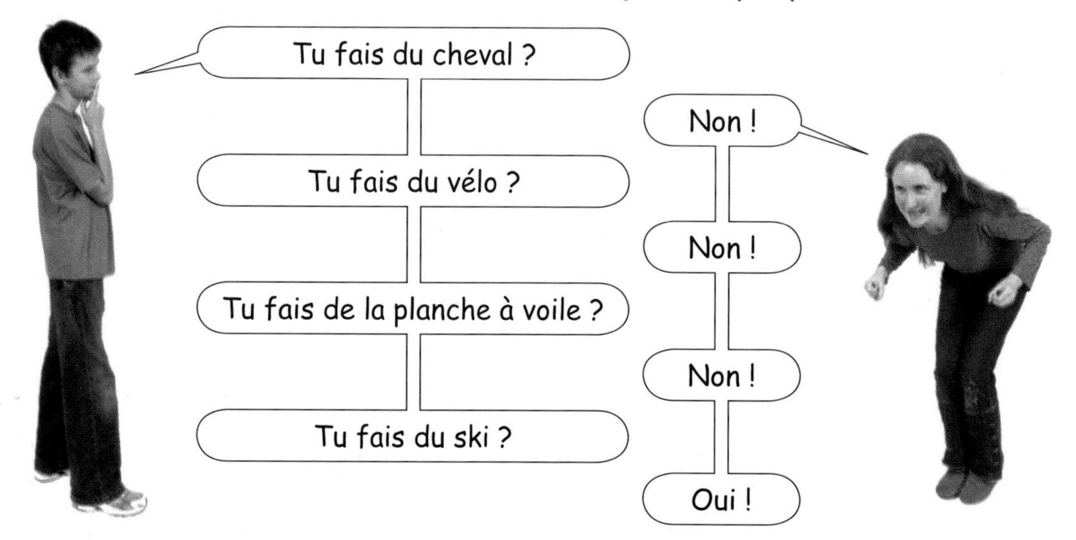

4 Complète à l'oral !

Exemples : Je regarde **la** télévision. Elle fait **de la** musique. Tu fais **du** français ?

1 Je fais ... photos. **2** Tu écoutes ... musique. **3** Elle fait ... judo. **4** Lui, il fait ... vélo. **5** Moi, je fais ... planche à voile ! **6** Porthos fait ... cheval. **7** Tu fais ... cinéma ? **8** Non, je regarde ... télévision. **9** On fait ... moto. **10** Elle fait ... roller ? **11** Non, elle fait ... jogging. **12** On fait tous ... français !

1 Écoute et répète les mots ! Puis écoute les dialogues et note les lettres dans l'ordre !

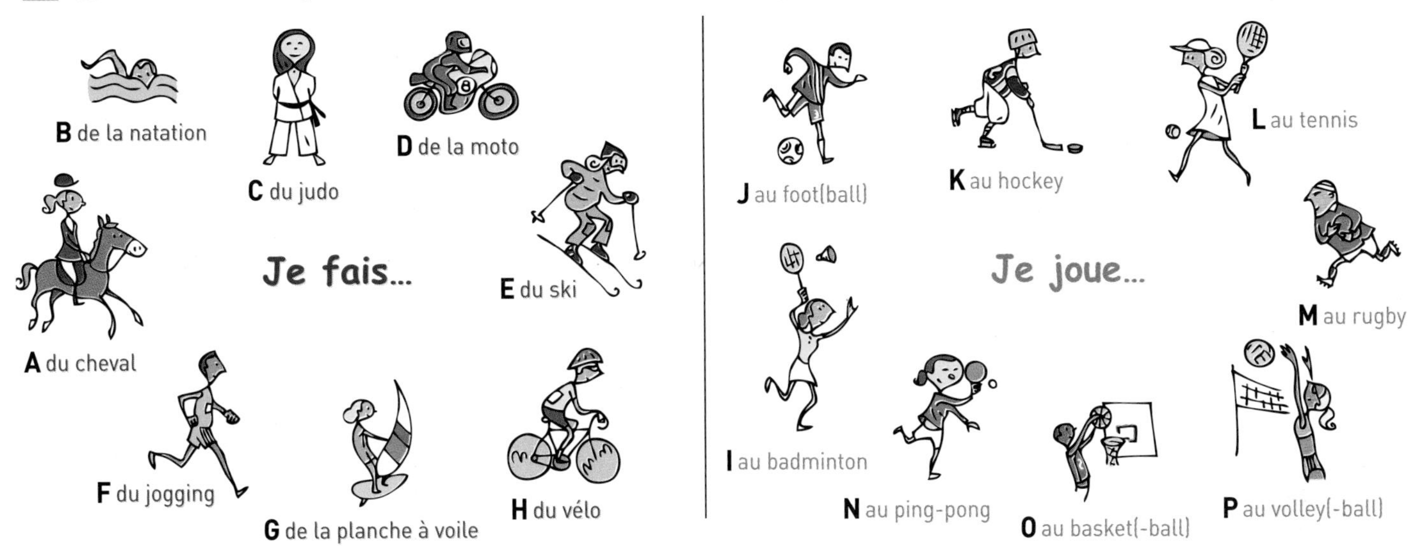

2 Recopie la grille avec les smileys japonais. Écoute et complète ! Tu as deux écoutes.

	d^o^b Je préfère...	^o^ J'adore...	^_^ J'aime...	-_- Ça va...	-_-' Je n'aime pas...	>_< Je déteste...
Hugo	le tennis	le ping-pong	rugby	foot	basket	roller
Pauline	natacion	ecoute musiques	surfer sur Internet	tenni	badminton	cuisine

3 Observe et écoute bien !

Qu'est-ce que j'aime faire ? J'aime dessiner... J'aime faire la cuisine... et j'adore jouer aux cartes ! Mais je préfère jouer à l'ordinateur et surfer sur Internet !

Et toi ? Présente tes passe-temps (réels ou imaginaires) !
Utilise un maximum de vocabulaire des sports et des activités.

dessiner
écouter...
faire...
jouer...
regarder...
surfer...
travailler

4 Jeu des devinettes. Recopie les phrases et trouve les bonnes réponses pour ton voisin ou ta voisine, puis joue avec lui ou elle ! Attention ! Ne pose surtout pas de questions, devine !

Tu es né(e) en ... *(voir les mois page 20)*.
Tu as des frères et sœurs : oui / non.
Si oui, tu as ... frère(s), tu as ... sœur(s).
Ton animal préféré, c'est ... *(voir page 20)*.
Ta nourriture préférée, c'est ... *(voir page 28)*.
Ton passe-temps préféré, c'est ... *(voir page 38)*.
Ton sport préféré, c'est ... *(voir page 38)*.

Tu es né en mai !
Oui ! Tu as un point !
Tu as un frère !
Non, je n'ai pas de frère. Pas de point pour toi !

5 Les sons [z] et [s] → Tu entends le son [z] de *musique* ? Note les bons numéros ! Tu as deux écoutes. Puis chante le rap !

Il y a du tennis à la télévision. Je fais la cuisine et je dessine !

Les Trois Mousquetaires

Écoute et regarde la BD de Max ! Puis décris les images 11 à 17 page 37 !

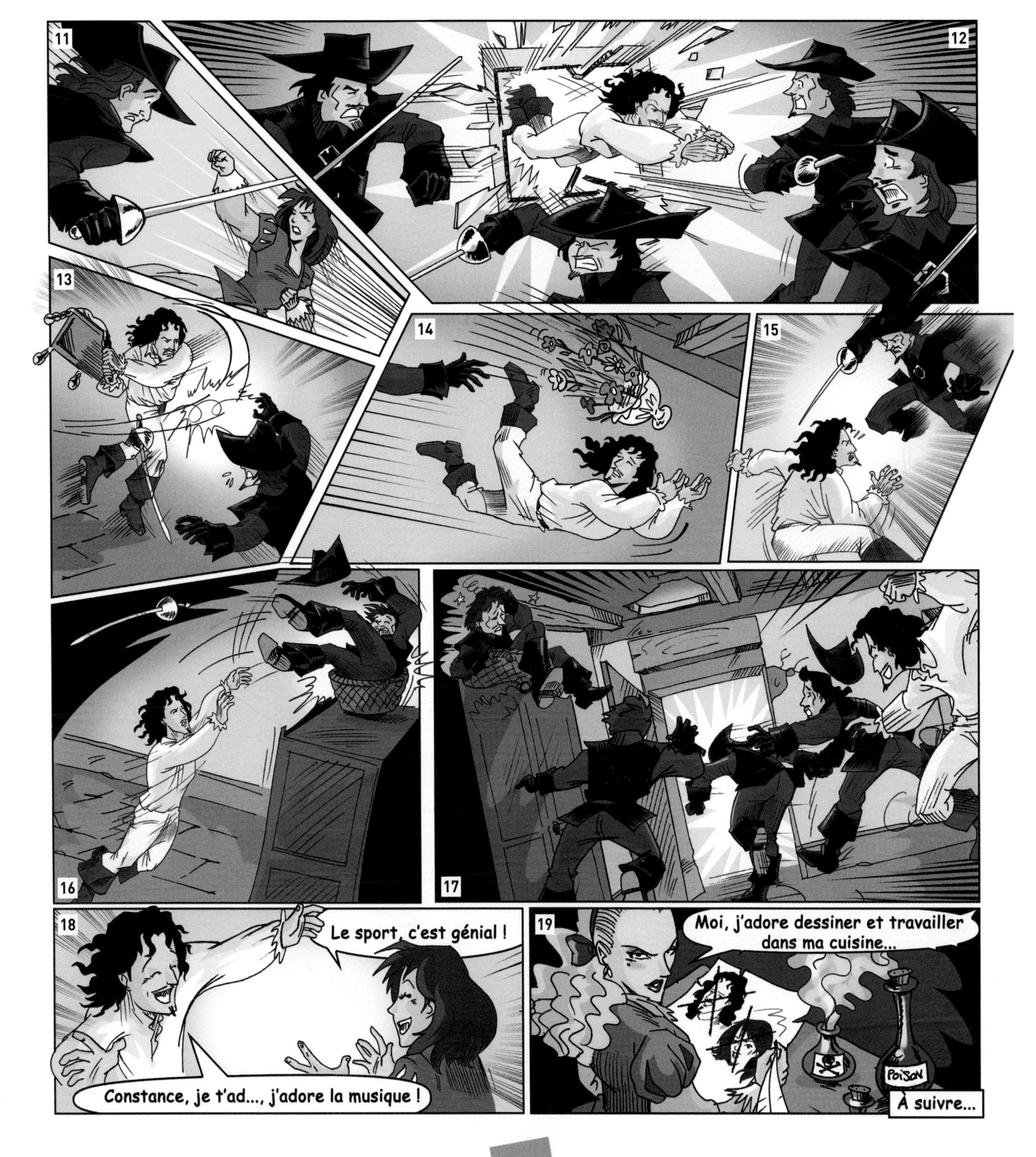
11
12
13
14
15
16
17
18
Le sport, c'est génial !
Constance, je t'ad..., j'adore la musique !
19
Moi, j'adore dessiner et travailler dans ma cuisine...
POISON
À suivre...

Consignes de classe

Compare !
Devine !
Mime (un sport) !
Note les lettres dans l'ordre !
Réponds : vrai ou faux ?

Communication

Tu sais maintenant…

■ **parler de tes activités et de tes passe-temps :**
Qu'est-ce que tu fais ?
Je travaille.
Je regarde la télé(vision).
Je joue aux cartes.
Je fais du vélo.
Je fais du roller.
Je joue au ping-pong.
Etc.

■ **exprimer ta surprise :**
Ça alors !

■ **exprimer tes goûts :**
Qu'est-ce que tu détestes (aimes, adores, préfères) faire ?
Je déteste dessiner.
J'aime faire la cuisine.
J'adore écouter de la musique.
Je préfère surfer sur Internet.
C'est nul, pas mal, très bien, super, génial.
Bof !

■ **exprimer ton accord :**
Oui, c'est ça. Bon.

Vocabulaire

Activités et passe-temps

dessiner
écouter
faire
jouer
préférer
regarder
travailler
surfer sur Internet
les cartes *(f. pl.)*
jouer aux cartes
le cinéma
faire du cinéma
la cuisine
faire la cuisine
la musique
écouter de la musique
faire de la musique
jouer de la musique
l'ordinateur *(m.)*
jouer à l'ordinateur*
le sport
faire du sport
le roller
faire du roller
la télé(vision)
regarder la télé(vision)
jouer au badminton
faire du cheval
faire du jogging
faire du judo
faire de la moto
faire de la natation
faire des photos
faire de la planche à voile
faire du ski
faire du vélo

Sports

le badminton
le basket(-ball)
le cheval (l'équitation)
le foot(ball)
le hockey
le jogging
le judo
la moto
la natation
le ping-pong
la planche à voile
le rugby
le ski
le tennis
le vélo
le volley(-ball)

Adjectif, adverbes, interjections et prépositions

à (au, à l', à la, aux)
aussi
Bof ! Bon.
Ça alors ! (U 3)
C'est ça.
de (du, de l', de la, des)
mais (U 3)
préféré(e)

Certains mots, introduits dans les consignes, n'ont pas été l'objet d'un entraînement systématique et n'apparaissent pas ici.
* On dit aussi « jouer sur l'ordinateur ».

Grammaire

Le pronom *on* (3e personne du singulier)

On fait un livre (toi et moi).
Nous, on déteste la musique !

Des verbes en *-er* au singulier

dessiner : Je dessin**e**, tu dessin**es**, il / elle / on dessin**e**
écouter : J'écout**e**, tu écout**es**, il / elle / on écout**e**
jouer : Je jou**e**, tu jou**es**, il / elle / on jou**e**
regarder : Je regard**e**, tu regard**es**, il / elle / on regard**e**
préférer : Je préf**è**r**e**, tu préf**è**r**es**, il / elle / on préf**è**r**e**
travailler : Je travaill**e**, tu travaill**es**, il / elle / on travaill**e**

Le verbe *faire* au singulier

faire : je fai**s**, tu fai**s**, il / elle / on fai**t**

Parler de ses activités et de ses passe-temps

faire *du, de la, de l', des*
Tu fais du sport ?
Oui, je fais du judo et de la natation !
Mais : Je fais la cuisine.

jouer *au, à la, à l', aux*
Tu joues aux cartes ?
Non, je joue à l'ordinateur et au ping-pong !

Les verbes *aimer, adorer, détester, préférer* + infinitif

J'aime dessiner. J'adore faire des photos.
Je déteste jouer à l'ordinateur. Je préfère surfer sur Internet.

Les prépositions *de* et *à*

	de	à
masculin	de + le = **du**	à + le = **au**
féminin	de + la = **de la**	à + la = **à la**
masculin / féminin singulier*	de + l' = **de l'**	à + l' = **à l'**
pluriel	de + les = **des**	à + les = **aux**

devant une voyelle* **a, e, i, o, u, y *ou un* **h** *muet*

Phonétique

Les sons [z] et [s] : musique, dessin...

Stratégies

Pour mieux t'entraîner à la prononciation...

■ Pour poser une question, change le ton de ta voix :
Tu écoutes. ↘ *Tu écoutes ?* ↗

■ Répète les phrases en commençant par la fin :
Tu préfères surfer sur Internet ? ↗ (*... Internet ?* ↗ *... sur Internet ?* ↗ *... surfer sur Internet ?* ↗ *Tu préfères surfer sur Internet ?* ↗)

Culture et civilisation

En France...

... on fait du jogging.

... on fait du vélo.

... on fait du ski.

... on fait du cheval.

Et dans ton pays ?

Ma ville

1 Écoute et repère les monuments de Paris !

Image 1
Agathe : On va faire des photos à Paris ?
Léa : D'accord ! On va où ?
Agathe : Au musée du Louvre !
Léa : On prend le bus, c'est pratique ! Le bus 27 ou le 21.

Image 2
Agathe : Après, on va au Sacré-Cœur, à Montmartre !
Léa : Super ! D'abord le bus 69, après le 38, et puis le 54...

Image 3
Agathe : Pour l'Arc de triomphe et les Champs-Élysées, on prend le métro ?
Léa : Le métro ? Non, regarde, on prend le 67, ensuite le 43 et puis le 52 et...

Image 4
Agathe : Je voudrais faire des photos de la tour Eiffel, on prend un taxi ?
Léa : Non, on va à pied !

Image 5
Agathe : J'ai une idée : de la tour Eiffel à Notre-Dame de Paris, on prend le bateau-mouche, sur la Seine !
Léa : Ah oui ?

Image 6
Agathe : Prendre le bateau, c'est pratique aussi, non ?
Léa : Oui, oui, c'est très bien...

2 Écoute les nombres ! Puis repère les numéros des bus que prennent Léa et Agathe !

30 trente
40 quarante
50 cinquante
60 soixante

vingt et un – vingt-six – vingt-sept – vingt-neuf – trente-quatre – trente-cinq – trente-huit – quarante-trois – quarante-cinq – cinquante – cinquante-deux – cinquante-trois – cinquante-quatre – soixante-deux – soixante-sept – soixante-huit – soixante-neuf

3 Écoute et répète ! Puis dis comment Léa et Agathe voyagent dans Paris ! Et toi, tu voudrais voyager comment ?

en bus

en taxi

en métro

en bateau

à pied

à vélo

à cheval

à moto

car - en voiture

4 Voici les photos d'Agathe. Écoute et répète le nom des monuments ! Puis note les lettres (des monuments) dans l'ordre ! B, A, D, C, E, F

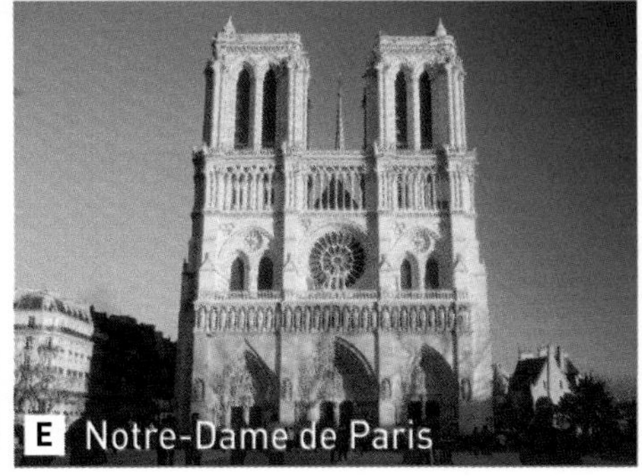

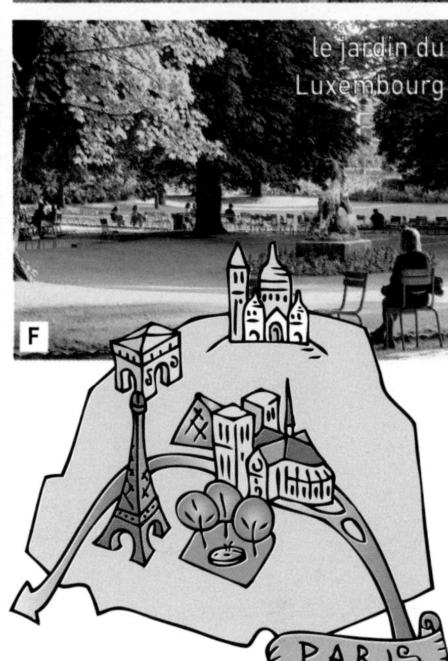

5 Écoute ton voisin ou ta voisine (A), montre le monument sur le plan de Paris et réponds (B) !

Exemple : **A :** Bonjour (monsieur / madame) ! Où est le musée du Louvre ?
B : Vous allez au musée du Louvre ? C'est ici. Allez-y en métro !
A : D'accord ! Merci et au revoir !

6 Écoute et chante !

À vélo dans Paris

Dans Paris, à vélo on dépasse les autos,
À vélo dans Paris, on dépasse les taxis.
Dans Paris, à vélo on dépasse les autos,
À vélo dans Paris, on dépasse les taxis.

Les Champs-Élysées

Aux Champs-Élysées, aux Champs-Élysées,
Au soleil, sous la pluie, à midi ou à minuit,
Il y a tout ce que vous voulez aux Champs-Élysées...

7 Tu voudrais faire du roller à Paris ? Regarde et fais des recherches sur Internet !

En roller à Paris !

Vous n'aimez pas l'auto, la moto ou le métro ? Vous aimez faire du roller ? Paris est un paradis pour les fans de roller. Faites du sport... et rencontrez des amis !

Allez sur notre site www.pari-roller.fr ou sur le site www.paris.evous.fr !

1 **Écoute et montre sur le plan ! Puis réponds aux questions !**

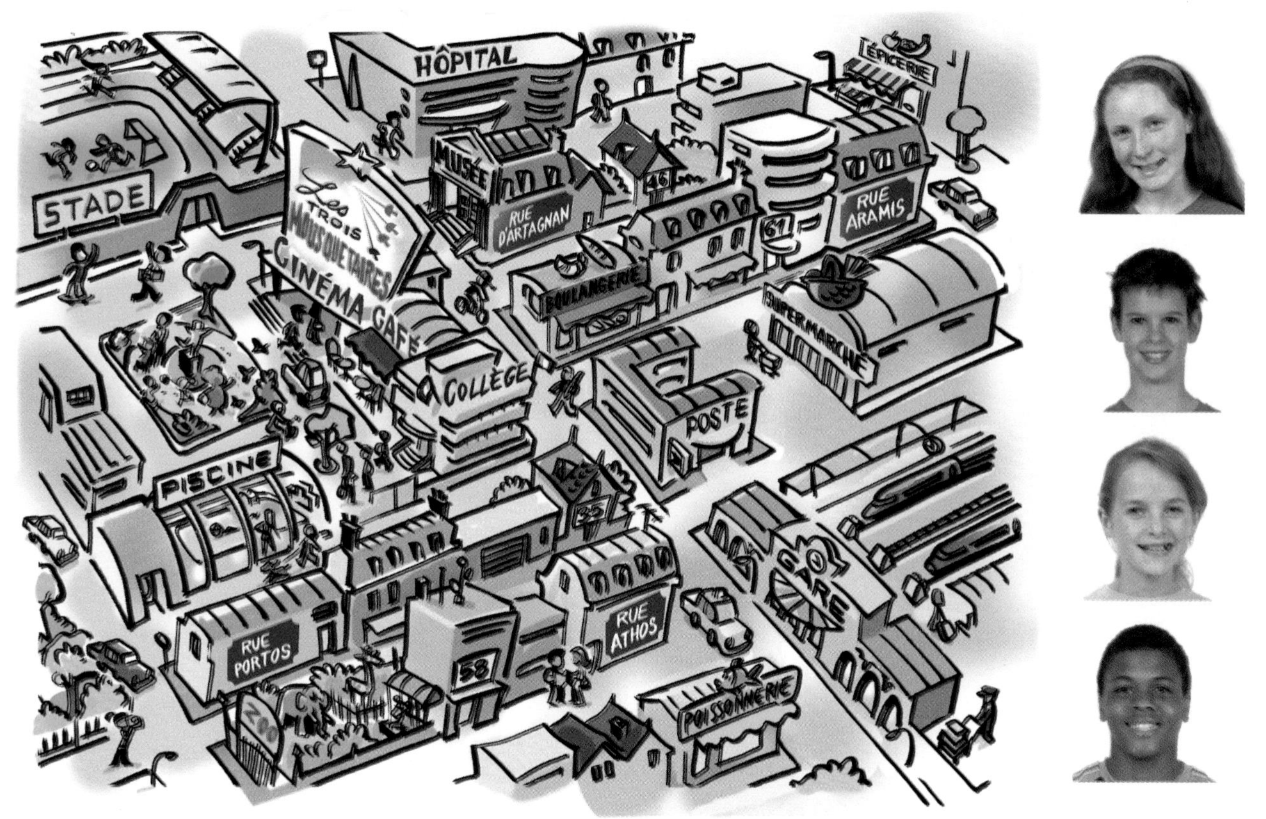

2 **Écoute et trouve !**

3 **Et toi, tu habites où ?**

→ J'habite à … , rue … , au numéro … !

4 **Qu'est-ce qu'il y a dans ta ville (ton village, ton quartier) ? Coche les mots et prépare ta description !**
Dans ma ville (mon village, mon quartier), il y a …

une boulangerie ☐ – un café ☐ – un cinéma ☐ – un collège ☐ – une épicerie ☐ – une gare ☐ – un hôpital ☐ – un musée ☐ – un parc ☐ – une piscine ☐ – une poissonnerie ☐ – une poste ☐ – un stade ☐ – un supermarché ☐ – un zoo ☐ …

5 **Écoute et note les lettres dans l'ordre ! Tu as deux écoutes !**

A devant
In front

B derrière
Behind

C à côté de
Next to

D entre
Between

E après
After / past

F dans
Inside

Maintenant localise des bâtiments sur le plan ! **Exemple :** Il y a une piscine à côté du collège. **À toi !**

6 **Les sons [b] et [p] → Attention ! Tu entends le son [p] de *poste* combien de fois ? Deux, trois, quatre, cinq fois ? Tu as deux écoutes. Puis chante le rap !**

Les bateaux et les bus sont après le pont !

1 Jeu de mémoire. Regarde bien le plan de la ville page 42 (2 minutes), puis ferme les yeux. Joue avec ton voisin ou ta voisine : il ou elle demande (A) et tu réponds (B), *les yeux fermés* ! Exemples :

A : Montre-moi la poste ! **B** *(montre du doigt, les yeux fermés)* : C'est ici !

A : Le café, il est à côté du musée ? **B** *(les yeux fermés)* : Euh... Non ! Il est à côté du cinéma...

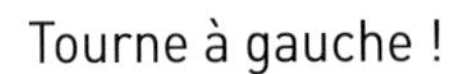

2 Écoute et répète (à voix basse ou dans ta tête) !

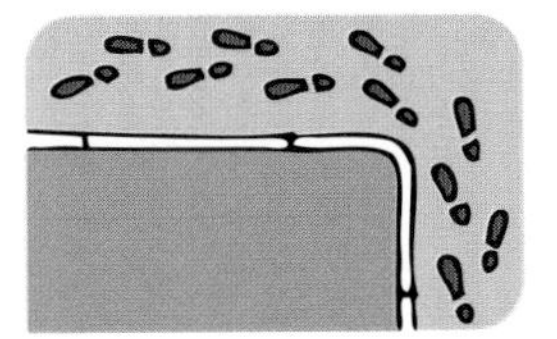

Tourne à gauche !

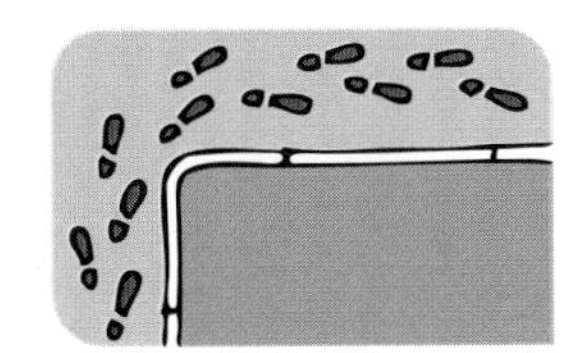

Tourne à droite !

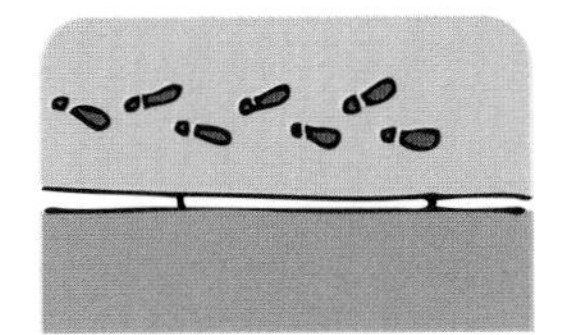

Va tout droit !

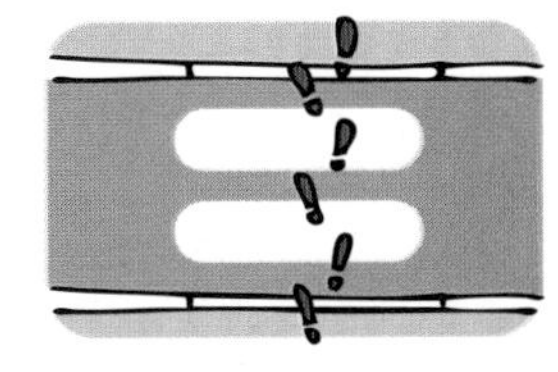

Traverse la rue !

3 Écoute et observe bien !

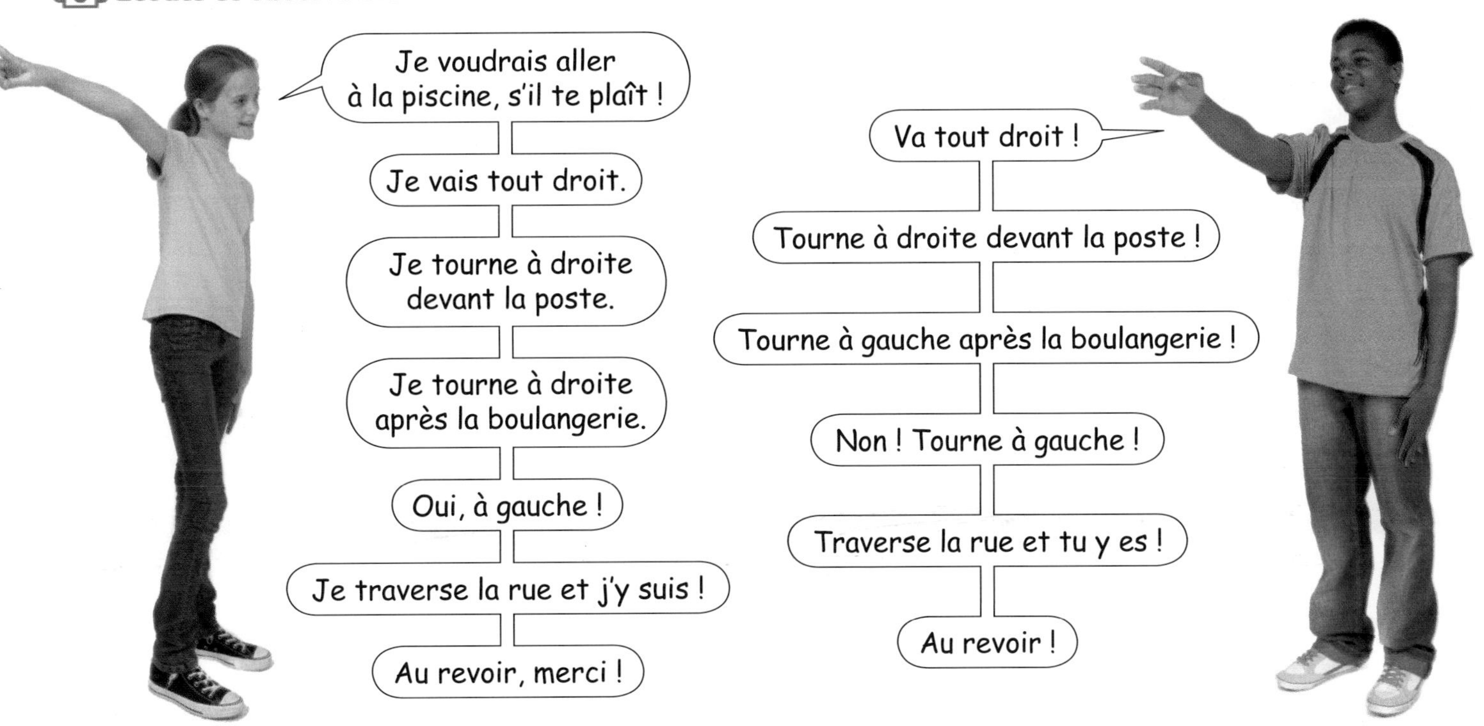

4 Sur ce modèle, choisis une destination : ton voisin ou ta voisine t'indique ton chemin, d'après le plan de la ville page 42 !

5 Écoute et montre à chaque fois à qui parle Lucas : à Alice ou à la dame ?

Bonjour Lucas, je voudrais aller à la poste, s'il te plaît !

Bonjour, je voudrais aller à la gare, s'il vous plaît !

Les Trois Mousquetaires

Écoute, regarde la BD de Max et raconte l'histoire ! Puis montre sur un plan de Paris où la scène se passe !

Je voudrais des salades et des olives, s'il vous plaît !
Nous prenons un taxi ?
TAXI
Mais non, nous allons à pied !
Et maintenant, au Louvre !
Traversons le pont !
Ensuite, nous prenons à gauche et nous y sommes !
Oh, des touristes ! Ils admirent le Louvre. Regarde : ils aiment aussi aller à cheval, prendre le bateau, aller à pied au bord de la Seine...
Moi, je n'aime pas beaucoup aller à pied...
À suivre...

Consignes de classe

Choisis (une destination) !
Entoure (les numéros) !
Localise !
Trouve !
Fais des recherches !
Prépare ta description !
Repère (les monuments) !

Communication

Tu sais maintenant...

■ **dire où tu habites, localiser :**
Tu habites où ? Où est-ce que tu habites ?
J'habite à Paris, 20 avenue des Champs-Élysées.
C'est ici. C'est à côté du cinéma.

■ **exprimer une demande polie :**
Je voudrais... s'il te plaît, s'il vous plaît.

■ **compter jusqu'à 69**

■ **demander, indiquer une direction :**
Je voudrais aller à... Où est... ?
Va tout droit ! Traverse la rue !
Prenez à droite ! Tournez à gauche !
Tu y es. Vous y êtes.

■ **exprimer ton accord :**
D'accord !

Vocabulaire

Moyens de transport, bâtiments et monuments de Paris

l'auto *(f.)*
le bateau(-mouche)
le bus
le métro
la moto (U 4)
le pied (à pied)
le roller (U 4)
le taxi
le vélo (U 4)
la boulangerie
le café
le cinéma (U 4)
le collège
l'épicerie *(f.)*
la gare
l'hôpital *(m.)*
l'idée *(f.)* (U 2)
le musée
le parc
la piscine
la poissonnerie
le pont
la poste
la rue
le stade
le supermarché
le touriste
la ville
le zoo
l'Arc de triomphe *(m.)*
le jardin du Luxembourg
le musée du Louvre
Notre-Dame de Paris
le Sacré-Cœur
la Seine
la tour Eiffel

Verbes

aller
habiter
tourner
traverser

Adjectif, adverbes et prépositions

d'abord (U 3)
D'accord !
à côté de
à droite ≠ à gauche
après (U 3)
dans
devant ≠ derrière
en
entre
ici
pratique
tout droit

Nombres de 40 à 69

quarante
quarante et un
quarante-deux
quarante-trois
quarante-quatre
quarante-cinq
quarante-six
quarante-sept
quarante-huit
quarante-neuf
cinquante
cinquante et un...
cinquante-trois...
cinquante-cinq...
cinquante-sept...
soixante...
soixante-deux...
soixante-quatre...
soixante-six...
soixante-neuf

Certains mots, introduits dans les consignes ou la BD, n'ont pas été l'objet d'un entraînement systématique et n'apparaissent pas ici. Ils sont toutefois indiqués en italique quand ils seront ou pourront être réutilisés plus tard.

Grammaire

Les verbes *s'appeler* et *préférer* au pluriel

nous nous appel**ons**, vous vous appel**ez**, ils / elles s'appe**llent**
nous préférons, vous préférez, ils / elles préf**è**rent

Les verbes *aller, prendre* et *vouloir*

je vai**s**, tu va**s**, il / elle / on va, nous all**ons**, vous all**ez**, ils / elles v**ont**
je prend**s**, tu prend**s**, il / elle / on prend, nous pren**ons**, vous pren**ez**, ils / elles prenn**ent**
je veu**x**, tu veu**x**, il / elle / on veu**t**, nous voul**ons**, vous voul**ez**, ils / elles veul**ent**

Le « conditionnel de politesse »

je voudrai**s**, tu voudrai**s**, il / elle / on voudrai**t**, nous voudr**ions**, vous voudr**iez**, ils / elles voudrai**ent**

Terminaisons de la plupart des verbes au pluriel

1re personne	**nous**	...	**-ons**
2e personne	**vous**	...	**-ez**
3e personne	**ils / elles**	...	**-ent**

La forme de politesse = 2e personne du pluriel

Pour s'adresser à un adulte (et à quelqu'un qu'on ne connaît pas)
Bonjour, monsieur ! Vous faites du sport. Vous aimez faire du roller ?

L'impératif : Pour exprimer un ordre, une invitation ou un conseil.

	verbes en *-er*	prendre	aller
singulier (tu)	tourne !	prends !	va !
pluriel (nous)	tournons !	prenons !	allons !
pluriel + forme de politesse (vous)	tournez !	prenez !	allez !

Le pronom *y* : Pour rappeler le lieu où l'on est, où l'on va.

Allez-**y** ! Vas-**y** ! *(Attention ! On ajoute un -s à l'impératif « va ».)*
Tu **y** es. Nous **y** sommes.

L'adverbe interrogatif *où ?*

Tu vas **où** ? **Où** est-ce que tu vas ?
Tu habites **où** ? **Où** est-ce que tu habites ? **Où** est le Louvre ?

Phonétique

Les sons [b] et [p] : bateau, poste...

Stratégies

Pour mieux apprendre...

- Répète les mots nouveaux et les expressions nouvelles plus ou moins vite, plus ou moins fort et sur différentes tonalités !
- Reproduis les conjugaisons, les listes de nombres, etc. en rythme, en frappant dans tes mains, en claquant des doigts, en les chantant, en les dansant !

Culture et civilisation

D'autres lieux et monuments à Paris

Les Champs-Élysées

La Seine

Le Centre Pompidou

Le stade de France

Mon emploi du temps

1 Écoute et observe ! Puis dis quelle heure il est dans chaque image !

Image 1
Maman de Théo : Théo, réveille-toi ! Lève-toi ! Vite : il est 8 heures !

Image 2
Maman de Théo : Lave-toi ! Dépêche-toi !

Image 3
Maman de Théo : Prends ton petit déjeuner, ...ne regarde pas la télé ! Ensuite, brosse-toi les dents !

Image 4
Maman de Théo : Vite ! Habille-toi ! Il est 8 heures 10 !

Image 5
Maman de Théo : 8 heures 15 ! Dépêche-toi, va prendre ton bus ! Au revoir, Théo !
Théo : Au revoir, m'man !

Image 6
Léa : Salut Théo ! Alors, il est prêt, ton rap ?
Théo : Oui, écoute !

2 Écoute et chante le rap de Théo !

Tous les matins, à mon réveil,
C'est le même refrain à mes oreilles :
« Réveille-toi ! Lève-toi ! Lave-toi ! Dépêche-toi !
Prends ton petit déjeuner ! Ne regarde pas la télé !
Brosse-toi les dents ! Habille-toi ! Dépêche-toi, dépêche-toi... »
Mais moi, je voudrais dormir, rêver, ne pas courir !
C'est ça : je voudrais dormir, rêver, ne pas courir,
Dormir, rêver, ne pas courir...

3 Les sons [R] et [l] → Tu entends le son [R] de *rêver* ? Note les bonnes lettres ! Tu as deux écoutes. Puis chante le rap !

Je me lève et je rêve ! Je me lave les oreilles !

4 **Il est quelle heure ? Écoute, montre la bonne pendule ou écris son numéro !**

5 **Vrai ou faux ? Lis et corrige à l'oral !**

Je me réveille à minuit. Je me lève à minuit cinq. Je me lave et je me brosse les dents à minuit quinze. Je m'habille à minuit vingt. Ensuite, je prends mon petit déjeuner à minuit vingt-cinq. À minuit quarante, je prends mon sac et mon portable, je me dépêche et je vais travailler.

6 **Écoute et dis ce qui se passe !**

Exemple : 1 Il se réveille. **2** Il prend son petit déjeuner.

Maintenant, c'est à toi !

je me lève	je m'habille	je me dépêche
tu te lèves	tu t'habilles	tu te dépêches
il / elle se lève	il / elle s'habille	il / elle se dépêche

7 **Et toi ? Tu te réveilles à 7 heures ? à 7 heures 30 ? Réponds d'abord aux questions, puis raconte comment tu te prépares le matin !**

1 À quelle heure tu te réveilles ? **2** À quelle heure tu te laves ? **3** À quelle heure tu prends ton petit déjeuner ? **4** À quelle heure tu te brosses les dents ? **5** À quelle heure tu t'habilles ? **6** À quelle heure tu pars à l'école (au collège ou au lycée) ?

1 Écoute et répète ! Puis recopie les jours de la semaine dans l'ordre !

jeudi   samedi   mardi   dimanche   lundi   vendredi   mercredi

2 On est quel jour, aujourd'hui : lundi ? mercredi ? vendredi ? Quelle date : le premier ? le 3 ? le 12 ? le 29 ? Quel mois : janvier ? mars ? juin ?

→ Aujourd'hui on est (jour) ... le (date) ... (mois) ... !

3 Écoute et relie le jour à la bonne image ! Tu as deux écoutes !

Exemple : A-2

A lundi

B mardi

C mercredi

D jeudi

1

2

3

4

5

6

7

E vendredi

F samedi

G dimanche

4 À toi ! Explique ce que tu fais ou ce que tu voudrais faire le lundi, le mardi, le mercredi, etc. !

Exemples : Le lundi, je fais du vélo. **Le** mardi, je vais au supermarché. **Le** mercredi, je voudrais faire du cheval, etc.

5 Écoute et répète (à voix basse ou dans ta tête) !

8:30

les mathématiques

l'histoire

la géographie

SVT[1]

la physique et la chimie

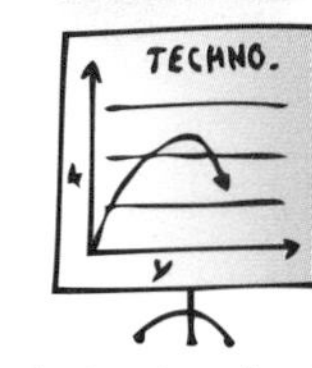

la technologie[2]

6 Écoute Agathe. Quelle est sa matière préférée ? Qu'est-ce qu'elle aime bien ? Qu'est-ce qu'elle n'aime pas ? Qu'est-ce qu'elle déteste ?

1. SVT : *sciences de la vie et de la Terre.*
2. La technologie (la techno) : *étude de l'environnement technique de l'homme ainsi que des technologies de l'information et de la communication.*

1 Écoute Max parler de son emploi du temps !

	lundi	mardi	mercredi	jeudi	vendredi	samedi
8 h 30 – 9 h 25	Français		Sport[4]		Maths[1]	
9 h 30 – 10 h 25	Maths	LV2[2] : espagnol	Sport		Techno	
10 h 25 – 10 h 35	Récréation					
10 h 35 – 11 h 30	Histoire-géo	Français	Français	Dessin[3]	Physique-chimie	
11 h 35 – 12 h 30	LV1[2] : anglais	Français	LV2 : espagnol	Maths	Physique-chimie	
12 h 30 – 14 h 00	Déjeuner : Cantine					
14 h 00 – 14 h 55	Techno	Maths		Histoire-géo	LV1 : anglais	
15 h 00 – 15 h 55	SVT	LV1 : anglais		Français	LV2 : espagnol	
15 h 55 – 16 h 05	Récréation					
16 h 05 – 17 h 00	Sport[4]	Histoire-géo		Musique[5]	Vie de classe[6]	

1. Maths : *mathématiques*. – 2. LV1 : *1re langue vivante étrangère* ; LV2 : *2e langue vivante étrangère*. – 3. On dit aussi : *arts plastiques*. – 4. On dit aussi : *EPS (éducation physique et sportive)*. – 5. On dit aussi : *éducation musicale*. – 6. Vie de la classe : *pour parler des problèmes de la classe et faire des propositions*.

2 Coche la bonne réponse (V = vrai, F = faux) !

1 Max travaille le lundi, le mardi, le jeudi, le vendredi et le samedi. V ☐ F ☐
2 Il n'aime pas la récréation. V ☐ F ☐
3 Il aime bien déjeuner à la cantine. V ☐ F ☐
4 Il adore la technologie. V ☐ F ☐
5 Il déteste le sport et SVT. V ☐ F ☐
6 Il apprend deux langues étrangères : l'anglais et l'espagnol. V ☐ F ☐
7 Le vendredi est son jour préféré. V ☐ F ☐
8 Il déteste la physique et la chimie. V ☐ F ☐

3 Quel est ton jour de classe préféré ? Pourquoi ? Tu as sport ? français ? Présente ton emploi du temps !

→ Mon jour de classe préféré, c'est le ... : Le matin, à (heure) ... , j'ai ... . Puis à ..., j'ai ... . C'est ... !

4 Fais un sondage dans la classe !

Quelle est ta matière préférée ?

Qu'est-ce que tu n'aimes pas ?

Ma matière préférée, c'est le français !

Je n'aime pas la techno et je déteste la musique !

5 Les professeurs du collège. Écoute et relie les phrases !

Madame Martin est ▸	◂ le professeur de musique.
Monsieur Legrand est ▸	◂ la professeur de sport.
Madame Dupont est ▸	◂ la professeur d'anglais.
Monsieur Lambert est ▸	◂ le professeur de chimie.

Les Trois Mousquetaires

Écoute et regarde la BD de Max ! Puis choisis un rôle et joue-le (avec deux autres camarades) !

* Les ferrets : *pointes de métal au bout de cordons qui servaient à lacer les vêtements. Ils pouvaient être ornés de diamants.*

Consignes de classe

Dis (quelle heure il est) !

Montre la bonne pendule !

Note les bonnes lettres !

Raconte comment tu te prépares !

Communication

Tu sais maintenant…

■ **demander et dire l'heure :**
Il est quelle heure ? Quelle heure est-il ?
Il est huit heures.
À quelle heure tu te lèves ?
Je me lève à sept heures.

■ **demander à quelqu'un de faire quelque chose :**
Lève-toi ! Dépêche-toi ! Habille-toi !

■ **parler de ton emploi du temps :**
On est (nous sommes) quel jour ?
On est (nous sommes) mardi.
Aujourd'hui… Le matin… L'après-midi…
Je me lève, je me lave, je me brosse les dents.
Le lundi matin, j'ai français et maths.
Le jeudi, je fais du jogging.
Ma matière préférée, c'est le sport.

Vocabulaire

Heures, moments de la journée et jours de la semaine

l'après-midi *(m. ou f.)*
le déjeuner
l'heure *(f.)*
le jour
le matin
(le / à) midi
(à) minuit
le petit déjeuner
lundi
mardi
mercredi
jeudi
vendredi
samedi
dimanche

Matières scolaires et emploi du temps

l'anglais *(m.)*
la cantine
la chimie
la classe
le collège (U 5)
le dessin (U 1)
l'école
l'emploi du temps
l'espagnol *(m.)*
le français (U 1)
la géo (géographie)
l'histoire *(f.)*
le lycée
la matière
les maths (mathématiques)
la musique (U 4)
la physique
le (la) professeur
la récréation
le sport (U 4)
SVT (sciences de la vie et de la Terre)
la techno (technologie)

Verbes

apprendre
se brosser (les dents)
courir
déjeuner
se dépêcher
dormir
s'habiller
se laver
se lever
partir
se réveiller
rêver

Adjectif, adverbes et préposition

alors (U 3)
aujourd'hui
encore
ensuite
pour (U 3)
prêt(e)
vite

Certains mots, introduits dans les consignes, la chanson ou la BD, n'ont pas été l'objet d'un entraînement systématique et n'apparaissent pas ici. Ils sont toutefois indiqués en italique quand ils seront ou pourront être réutilisés plus tard.

Grammaire

Les verbes pronominaux *se lever* et *s'habiller*

Ils s'emploient avec un pronom personnel réfléchi.

je **me** l**è**ve, tu **te** l**è**ves, il / elle / on **se** l**è**ve, nous **nous** levons, vous **vous** levez, ils / elles **se** l**è**vent

je **m'**habille, tu **t'**habilles, il / elle / on **s'**habille, nous **nous** habillons, vous **vous** habillez, ils / elles **s'**habillent

Négation : Je **ne** me lève **pas**. Tu **ne** t'habilles **pas** ?

Les verbes *courir, dormir* et *partir*

je cour**s**, tu cour**s**, il / elle / on cour**t**, nous cour**ons**, vous cour**ez**, ils / elles cour**ent**

je dor**s**, tu dor**s**, il / elle / on dor**t**, nous dorm**ons**, vous dorm**ez**, ils / elles dorm**ent**

je par**s**, tu par**s**, il / elle / on par**t**, nous part**ons**, vous part**ez**, ils / elles part**ent**

L'adjectif interrogatif *quel, quelle, quels, quelles* ?

masculin : Quel est ton jour préféré ?

féminin : Il est quelle heure ? (Quelle heure est-il ?)

masculin pluriel : Quels sont tes jours préférés ?

féminin pluriel : Quelles sont tes matières préférées ?

Phonétique

Les sons [R] et [l] : rêve, lève...

Stratégies

Pour mieux apprendre...

Utilise la technique de la « carte mentale » pour mémoriser le vocabulaire. Exemple :

le collège
- les matières
  - les maths
  - le sport
    - la natation
    - le tennis
      - courir
- la récréation
  - rêver
  - jouer
- la cantine
  - les frites
  - le poulet
- à vélo
- les professeurs
  - pas mal
  - génial

Culture et civilisation

Dans un collège en France

À la cantine

Un cours de chimie

Un cours de sport

Pendant la récréation

Compare avec ton collège !

On révise et on s'entraîne pour le DELF A1 !

Document à photocopier !

Nom : .... **Prénom :** ....

Compréhension de l'oral (10 points)

1 Écoute et coche la bonne réponse ! Lis d'abord les phrases. Tu as deux écoutes !

1 Le mardi, Hugo a cours
- ☐ de géographie.
- ☐ de technologie.
- ☐ de physique-chimie.

2 Il adore
- ☐ le sport : le professeur est très bien.
- ☐ l'histoire : la professeur est géniale.
- ☐ la musique : le professeur est super.

2 Écoute et numérote les situations ! Regarde d'abord les images ! Tu as deux écoutes !

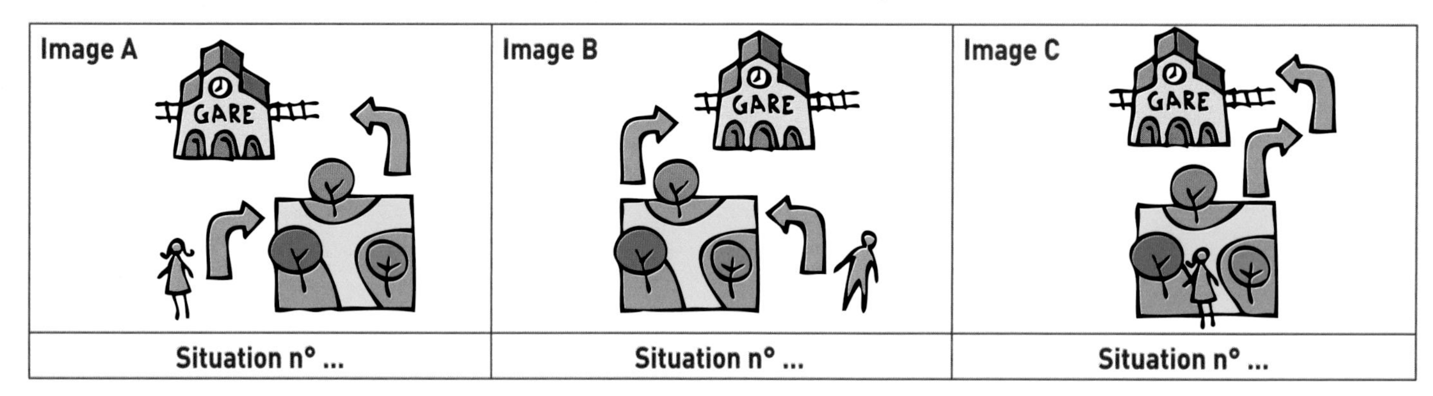

Image A	Image B	Image C
Situation n° ...	Situation n° ...	Situation n° ...

Compréhension des écrits (10 points)

1 Lis les phrases et associe les images !

Exemple : 1-B

1

2

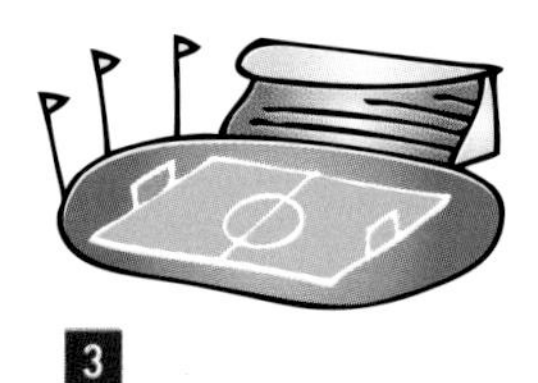

3

4

5

6

- Il habite à 5 km du collège, mais tous les matins, il va au collège à pied...
- Vous voulez aller au musée ? Prenez un taxi !
- Ma mère travaille au supermarché. Pour y aller, elle prend le métro.
- J'aime bien faire de la natation et du vélo ; alors je vais à la piscine à vélo !
- Pour aller au cinéma, il faut prendre le bus 63.
- Mon frère est dans un club de football. Il va au stade à moto.

A B C D E F

2 **Lis la lettre ! À qui correspondent les images 1 à 9 ? à Margot ? à Julien ? à Margot et Julien ?**

Exemple : 1 = Margot

Bonjour !

J'ai treize ans et je m'appelle Margot. Je fais du jogging tous les jours et j'adore aussi faire du roller.

Parfois, je joue au tennis avec mon frère Julien. Il a douze ans.
Il adore le sport : il est dans un club de natation. Au collège, il joue au basket, mais moi, je n'aime pas le basket...

Le soir, Julien et moi, nous aimons bien regarder la télé ou jouer à l'ordinateur. Mon frère adore jouer aux cartes. Pas moi ! Ce que je préfère, c'est dessiner. Lui, il déteste ça !

Margot

Production écrite (10 points)

Tu décris sur Internet une visite virtuelle de ta ville, de ton village ou de ton quartier !
Tu expliques où tu habites, comment tu te déplaces, etc. (40 mots environ)

Dans ma ville (mon village, mon quartier), il y a ... . J'habite à côté de ... .

Production et interaction orales (10 points)

Présente ton emploi du temps au collège, tes matières, tes professeurs préférés !

À quelle heure tu te réveilles ?

À quelle heure tu vas au collège ?

Comment tu vas au collège ? En bus ? En voiture ? À pied ? À vélo ?

À quelle heure commencent les cours ?

Il y a combien d'élèves dans ta classe ?

Tu as cours tous les jours de la semaine ?

Quelles sont tes matières, tes professeurs préférés ?

Qu'est-ce que tu n'aimes pas ? Pourquoi ?

Il y a une cantine dans ton collège ?

Il y a des récréations ? À quelle heure ?

Il y a des clubs ?

Quel est ton jour de la semaine préféré ? Pourquoi ?

Mon portrait

1 Écoute et compare avec le portrait du roi !

Image 1
Léa : C'est pour le portrait de Louis XIII, d'accord ?
Max : Euh... d'accord !

Image 2
Max : Bon, je commence. Lève la tête !

Image 3
Max : Non, baisse la tête et... tourne la tête à droite !

Image 4
Max : Avance la main gauche et plie le bras droit !

Image 5
Max : Avance la jambe gauche ! Très bien. Ne bouge pas !
Léa : Dépêche-toi... j'ai faim !

Image 6
Max : Hé ! Réveille-toi ! C'est fini...

2 Un peu de sport ? Écoute et mime ! Et d'abord... lève-toi !

Tourne la tête !

Baisse la tête !

Lève la tête !

Plie le bras !

Avance la main !

Saute !

Marche !

Attention, tu es prêt ? Tu es prête ? On commence ! Tourne la tête à droite ! Tourne la tête à gauche ! Baisse la tête ! Lève la tête ! Plie le bras droit ! Plie le bras gauche ! Avance la main droite ! Avance la main gauche ! Lève le bras gauche ! Lève la main droite ! Baisse le bras ! Baisse la main ! Maintenant saute ! Saute ! Stop ! Marche ! Marche ! Stop ! ... Merci, c'est fini ! Assieds-toi !

3 Recopie la grille. Regarde, écoute et complète ! Tu as deux écoutes.

	têtes	bras	mains	jambes	frères	sœurs	Il aime...	Il déteste...	Il fait du...
Le monstre a...	2								

4 Dessine un monstre et présente-le !

Il a combien de têtes ? 1, 2 ou 3 têtes ? Combien de bras ? ...
Combien de mains ? ... de jambes ? ... de pieds ? ...
Il s'appelle comment ? ... Il a quel âge ? ...
Il a des frères et sœurs ? Oui ? Non ? ...
Il a un animal ? Oui ? Non ? ...
Qu'est-ce qu'il aime ? le fromage ? les frites ? le poisson ? ...
Il fait du vélo ? Il fait de la natation ? Il fait du judo ? ...
Il joue au foot ? Il joue au tennis ? Il joue aux cartes ? ...
Il habite où ? à côté d'un musée ? d'un cinéma ? d'un zoo ? ...
Il préfère quelle matière ? le sport ? la musique ? les maths ? ...

5 Écoute et « bouge » sur la chanson !

Vous êtes prêts, les amis ? ... Bougez !
Levez les bras ! Baissez les bras ! Secouez les bras ! Et tournez ! (2x)
Baissez la tête ! Levez la tête ! Secouez la tête ! Et avancez !
Baissez la tête ! Levez la tête ! Secouez la tête ! Et reculez !
Pliez les bras ! Et marchez ! Pliez les jambes ! Et sautez ! (2x)

6 Jeu de mémoire. Ferme les yeux (ou ton livre), écoute et réponds !

Que fait le pirate? Il secoue les bras ou il marche ? Le pirate...
Que fait la fée ? Elle saute ou elle tourne ? Elle ...
Que fait le gobelin? Il plie les jambes ou il lève les bras ? Il ...
Que fait la momie ? Elle saute ou elle secoue les bras ? Elle ...
Que fait Merlin ? Il marche ou il plie les bras ? Il ...
Que fait le monstre ? Il plie les jambes ou il plie les bras ? Il ...
Que fait le mousquetaire ? Il lève les bras ou il baisse la tête ? Il ...

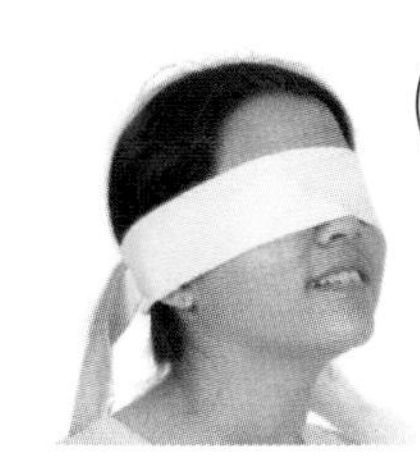

7 Les sons [v] et [b] → Répète ! Puis chante le rap !

Tu veux bouger ? Avance et baisse les bras... voilà !

1 Écoute et répète ! Puis joue la scène avec ton voisin ou ta voisine !

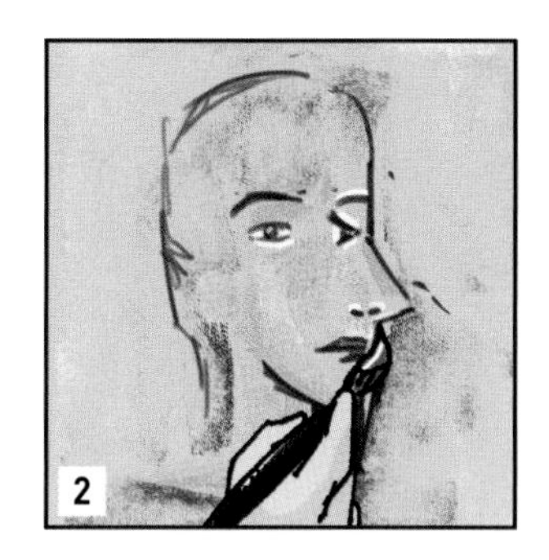

1 *Léa :* Bon alors, d'abord la tête et les yeux. **2** Maintenant le nez et la bouche. **3** Ensuite, les oreilles et les cheveux. Voilà !
4 *Max :* Mais c'est du Picasso* ! Bravo ! C'est génial ! Tu es géniale !!!

2 Écoute bien ! Que disent Agathe, Max, Léa et Théo ?

J'ai les yeux...
marron
bleus
verts
gris
noirs

J'ai les cheveux...
bruns
châtains
roux
blonds
gris
noirs

3 Qui est-ce ? Écoute et note les lettres dans l'ordre ! (Aide-toi de la BD pages 18-19 !) Tu as deux écoutes !

A D'Artagnan	B Constance	C Le roi	D Buckingham
E Milady	F Aramis	G La reine	H Richelieu

4 Écoute et observe ! Puis décris trois personnes dans ta classe !

Elle a les cheveux longs...

les cheveux mi-longs...

les cheveux courts...

les cheveux très courts !

5 Décris-toi !
Tu as les yeux de quelle couleur ? → J'ai les yeux ... **Tu as les cheveux de quelle couleur ?** → J'ai les cheveux ... .
Tes cheveux sont longs ? mi-longs ? courts ? → Mes cheveux sont ... .

* Pablo Picasso (1881-1973) est un peintre espagnol très célèbre.

Unité 7 LEÇON 3

1 Qui parle ?

2 Travaille avec ton voisin ou ta voisine sur ce modèle !

moi :	mes cheveux
toi :	tes cheveux
lui, elle :	ses cheveux

3 Écoute bien, puis complète à l'oral !

	singulier	pluriel
masculin :	petit	petits
féminin :	petite	petites

Le gobelin : Il est petit. Il a des grandes oreilles, des ... yeux, un ... nez et une ... bouche. Il a des ... bras et des ... jambes.
Le monstre : Il est de taille moyenne. Il a une ... tête, des ... oreilles, un ... nez, des ... mains et des ... pieds !
La momie : Elle est grande. Elle a des ... mains, des ... pieds, des ... jambes... , mais elle a une ... tête !

4 Choisis une identité imaginaire et présente-toi ! Exemples :

1 Je suis de taille moyenne. J'ai les cheveux bruns et longs. J'ai les yeux marron. Je m'appelle Jane !
2 J'ai les yeux marron et les cheveux longs et roux. Je suis assez grand (et gros !). Je m'appelle Obélix !
3 Je suis assez petit. J'ai les cheveux noirs et les yeux noirs. Je fais du cinéma. Je suis Charlie Chaplin !

Les Trois Mousquetaires

Écoute et regarde la BD de Max ! Suis le trajet de d'Artagnan sur une carte de France et d'Angleterre !

À Paris ...
Tu veux m'aider ?
Oui, Constance !
Voilà : la reine a donné au duc de Buckingham ses ferrets de diamants ! Mais c'est un cadeau du roi ...
...Et le roi donne bientôt un bal et veut voir la reine porter son cadeau. Va à Londres ! Rapporte les ferrets, vite !
Je pars ! Mais... avec mes amis !
Nous partons pour Londres !
Tous pour un ! Un pour tous !
Quelques heures plus tard...
Aïe ! Mon bras !
Nous continuons sans Porthos !
Oh ! Ma tête, ma tête !
Ouille, ma jambe !
Les amis, je dois partir pour Londres sans vous ...
C'est bien un bateau pour l'Angleterre ?
Calais
Oui, dépêchez-vous !
À suivre...

Consignes de classe

Affiche (le portrait) ! | *Décris(-toi) !* | *Dessine !* | *Prends une feuille !*

Communication

Tu sais maintenant...

■ **te décrire et décrire quelqu'un :**
Tu as les yeux (les cheveux) de quelle couleur ?
Mes yeux sont marron. J'ai les cheveux blonds.
Elle est petite. Elle a les cheveux mi-longs.
Le monstre a combien de têtes ?
Il a deux têtes !

■ **demander à quelqu'un de faire quelque chose :**
Tourne la tête ! Lève les bras !
Tournez la tête ! Levez les bras !
Aide-moi ! Aidez-moi !

■ **exprimer une obligation :**
Je dois partir...

Vocabulaire

Visage et corps

la bouche
le bras
les cheveux *(m. pl.)*
la couleur
la jambe
la main
le nez
l'œil *(m.)* [lœj]
au pl. : les yeux [lezjø]
l'oreille *(f.)*
le pied (U 5)
le portrait
la tête

Personnages et autres

le bal
le cadeau
l'ennemi (m.)
la fée
le gobelin
la momie
le monstre
le pirate

Verbes

aider
avancer
baisser
bouger
commencer
continuer
demander
devoir
lever
marcher
plier
porter
rapporter
reculer
sauter
secouer

Adjectifs

bleu(e)
blond(e)
brun(e)
châtain *(pl.* châtains*)*
court(e)
droit(e)
gauche
génial(e) (U 1)
grand(e)
gris(e)
fini(e)
long (longue)
marron *(pl.* **marron !***)*
(cheveux) mi-longs
noir(e)
petit(e)
prêt(e) (U 6)
roux (rousse)
de taille moyenne
vert(e)

Adverbes, interjection et préposition

assez
bientôt
sans
Stop !
toujours

Certains mots, introduits dans les consignes ou la BD, n'ont pas été l'objet d'un entraînement systématique et n'apparaissent pas ici. Ils sont toutefois indiqués en italique quand ils seront ou pourront être réutilisés plus tard.

Grammaire

Les adjectifs possessifs (suite)

	Adjectifs poss. 1re pers. sing.	Adjectifs poss. 2e pers. sing.	Adjectifs poss. 3e pers. sing.
masculin	mon	ton	son
féminin	ma (ou mon*)	ta (ou ton*)	sa (ou son*)
pluriel	mes	tes	ses

devant une voyelle* **a, **e**, **i**, **o**, **u**, **y** *ou un* **h** *muet*

Il est reparti avec un cadeau de la reine, son amie : ce sont ses ferrets !
Le roi veut voir la reine porter son cadeau.
La momie ? Sa tête est très petite !

Accord de l'adjectif qualificatif

Il s'accorde avec le nom ou le pronom auquel il se rapporte :
au féminin : **+e** *; au pluriel :* **+s** *; au féminin pluriel :* **+es**
Elle est géniale. – Tu as les cheveux longs. – Ses oreilles sont petites.

Certains adjectifs sont invariables : Il a les yeux **marron**.

Attention : e + e, s + s *et* **x + s** *sont impossibles !*
le pied gauche, la main gauche ; un lapin gris, des lapins gris ;
un chat roux, des chats roux.

Place de l'adjectif qualificatif

Il est après le nom : Il a les cheveux gris. Lève la main droite !

Sauf **grand** *et* **petit** *qui sont avant le nom (et d'autres adjectifs comme* bon, mauvais, vieux, jeune, nouveau, beau, joli*) :*
Le gobelin a des petites jambes et des grandes oreilles.

Le verbe *devoir*

je dois, tu dois, il / elle / on doit, nous devons, vous devez, ils / elles doivent

L'adverbe interrogatif *combien de... ?*

Combien de bras a le monstre ? Il a quatre bras !

Phonétique

Les sons [v] et [b] : voilà, bouger...

Stratégies

Pour mieux apprendre...

- Visualise les mots (noms, verbes, etc.) dans ta tête. Associe-les à une couleur, une gestuelle, un son...
- Tu peux aussi les dessiner ou les symboliser :

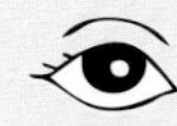
un œil

des yeux

lever

baisser

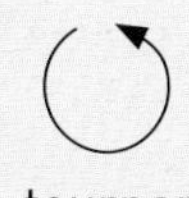
tourner

Culture et civilisation

Voici des personnages de BD. Décris-les !

Lucky Luke

Mélusine

Titeuf

Astérix

Vêtements et fêtes

1 Écoute et repère les déguisements !

Image 1
Agathe : Est-ce que tu as les costumes ?
Léa : Oui !
Théo : Des costumes ? Pour quoi faire ?
Agathe : Pour faire les photos du carnaval !

Image 2
Agathe : La robe et le chapeau bleu ?
Léa : C'est pour la fée.
Théo : Le chapeau à plumes et la veste ?
Léa : C'est pour le mousquetaire.

Image 3
Théo : La chemise, le pantalon, le gilet et les bottes ? C'est pour qui ?
Léa : Ça, c'est pour le pirate.

Image 4
Agathe : La jupe, la veste et le chapeau noirs ?
Léa : C'est pour la sorcière !
Théo : Le manteau ?
Léa : Pour le magicien.

Image 5
Théo : Et ça ? Tu sais ?
Léa : Euh... c'est pour la momie !

Image 6
Agathe : Tu veux te déguiser en quoi, Léa ?
Léa : Moi ? Je ne sais pas. Si, en vampire !

2 Écoute et répète ! Puis joue au jeu de loto !

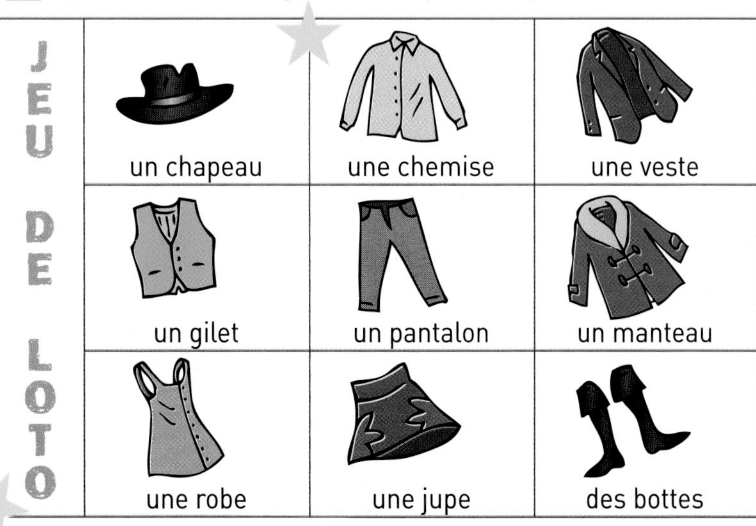

Tu as besoin de neuf pions (jetons ou petits morceaux de papier). Choisis trois vêtements. Mets un pion (jeton, papier) sur chacune des trois images. Écoute le CD ! À chaque fois que tu entends le nom d'un vêtement, mets un pion (jeton, papier) sur la bonne image. Dès que tu as recouvert toutes les images, dis « loto » ! Si tu ne t'es pas trompé(e), c'est toi le champion ou la championne de loto !
Puis joue avec ton voisin ou ta voisine !

He has pulmonary TB. We perscribed

3 Écoute et dis en quoi Théo, Agathe et Léa se déguisent !

4 Écoute et réponds !

Et toi, tu te déguises en quoi pour le carnaval ? Tu sais ? Tu ne sais pas ?
Tu te déguises en mousquetaire ? en roi ? en fée ? en momie ? en vampire ? ou encore...

en gobelin ? en sorcière ? en magicien ? en monstre ? en reine ? en pirate ?

Explique et décris-toi ! → Moi, je me déguise en ... ! C'est ... . Je porte ... . (Moi, je ne me déguise pas !)

5 Complète à l'oral !

Regarde ! En haut, il y a une fée avec une longue robe ... et un chapeau ... . Le vampire porte un long manteau ... et un pantalon ... . Là, il y a un gobelin avec un gilet ..., un pantalon... et des petites bottes ... . La sorcière a une longue jupe ..., une veste ... et un grand chapeau ... . Le magicien a un grand manteau ... . Regarde le monstre avec sa veste ... et son pantalon ... ! La reine, elle, porte une longue robe ... . Et le pirate a un gilet ..., une chemise ..., un pantalon ... et des bottes ... .

singulier		**pluriel**	
masculin	féminin	masculin	féminin
bleu	bleue	bleus	bleues
gris	grise	gris	grises
noir	noire	noirs	noires
rouge	rouge	rouges	rouges
vert	verte	verts	vertes
marron	marron	marron	marron

6 Les sons [ʃ] et [ʒ] → Répète ! Puis chante le rap !

Une bouche qui bouge ! Un chien magicien... avec une jupe et un chapeau !

General
Cardiothoracic
Orthopaedic
Pediatric
Trauma
Neuro
Neonatal
Prenatal
Ob-gyn

1 Écoute et répète (à voix basse ou dans ta tête) ! Puis réponds !

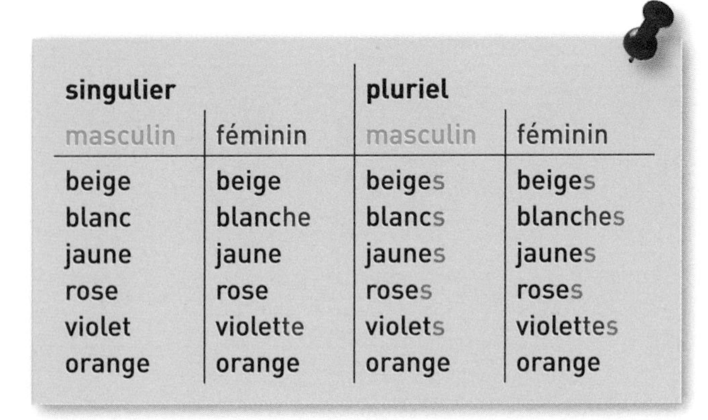

singulier		pluriel	
masculin	féminin	masculin	féminin
beige	beige	beiges	beiges
blanc	blanche	blancs	blanches
jaune	jaune	jaunes	jaunes
rose	rose	roses	roses
violet	violette	violets	violettes
orange	orange	orange	orange

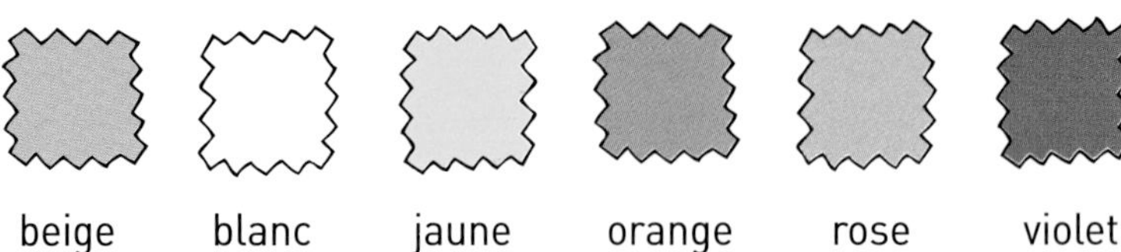

beige — blanc — jaune — orange — rose — violet

Quelle est ta couleur préférée ?

Le bleu ? le violet ? l'orange ? le vert ? le rose ? le rouge ? le noir ? le jaune ? le marron ? etc. → Ma couleur préférée, c'est le ... .

Quelle est la couleur que tu n'aimes pas ?

→ Je n'aime pas le ...

2 Fais un sondage dans la classe !

Quelle est ta couleur préférée ?

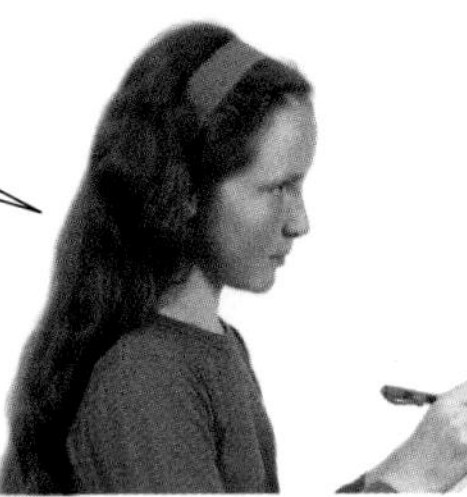

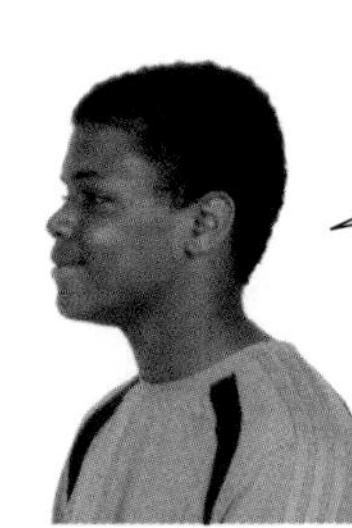

Euh... Je ne sais pas. Ah si ! Ma couleur préférée, c'est le vert !

3 Écoute et répète ! Ensuite décris et écoute le CD pour vérifier !

Exemple : Voilà une jupe violette !

- **A** un tee-shirt
- **B** une jupe
- **C** un collant
- **D** des chaussures
- **E** une casquette
- **F** un pull
- **G** un jean
- **H** des tennis
- **I** une chemise
- **J** un blouson
- **K** un pantalon
- **L** des baskets

4 Qu'est-ce que tu portes aujourd'hui ou qu'est-ce que tu aimes porter ? Décris-toi !

→ Aujourd'hui, je porte ... , ... et ... . J'aime aussi porter ... , ... et ... .

5 Ferme les yeux ou retourne-toi dans la classe et décris un ou une camarade !

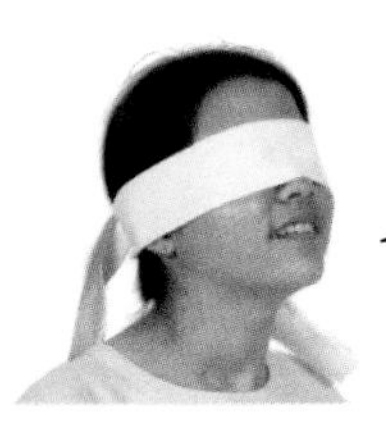

Euh... Tu portes un pull bleu, un jean gris... et des baskets beiges ?

1 Écoute et lis ! Puis réponds aux questions !

Les fêtes de l'année en France

Le jour de l'an
Le 31 décembre à minuit, on fête le nouvel an et on souhaite une « Bonne année » à ses amis !

La fête des Rois
Le 6 janvier, on mange la « galette des Rois ». Dans la galette, il y a une « fève » !

Le carnaval
En février ou en mars, pour le « mardi gras », on se déguise, on s'amuse et on danse.

Pâques
En mars ou en avril, on mange des œufs, des lapins ou des poules en chocolat !

Le 14 Juillet
C'est la fête nationale. Il y a un défilé. Et le soir, il y a des feux d'artifice et des bals dans les rues.

La fête de Noël
Le 25 décembre, on mange de la bûche et on souhaite un « Joyeux Noël » à ses amis !

1 C'est quand la fête nationale en France ? En janvier ou en juillet ? ...
2 Quand est-ce qu'on mange la « galette des Rois » ? En mars ou en janvier ? ...
3 Quand est-ce qu'on mange des œufs ou des poules en chocolat ? À Pâques ou à Noël ? ...
4 Quand est-ce qu'on se déguise ? Pour la fête des Rois ou pour le carnaval ? ...
5 Quand est-ce qu'on souhaite un « Joyeux Noël » ? En décembre ou en février ? ...

2 Lis et fais des recherches !

Les couleurs de la fête et des drapeaux

Le carnaval est une fête multicolore. En France, les feux d'artifice du 14 Juillet sont aussi une fête des couleurs. Dans les bals, on danse sous les lampions bleus, blancs et rouges : ce sont les couleurs du drapeau français, « bleu-blanc-rouge ». De quels pays viennent les drapeaux 2, 3, 4 et 5 ? (Ce sont des pays où le français fait partie des langues officielles.) Décris leurs couleurs !

Colorie le drapeau 6 : c'est le drapeau de ton pays !

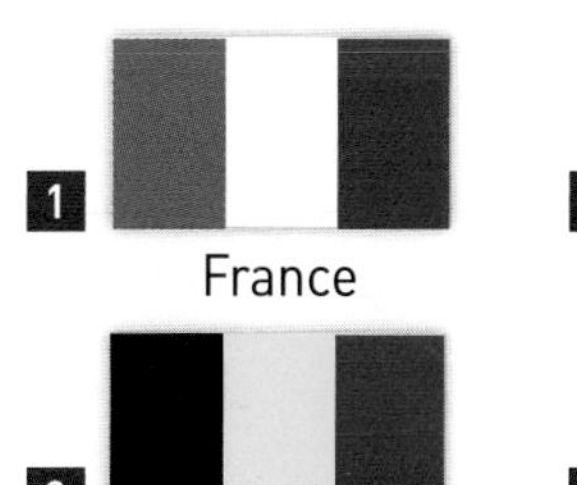

1 France

3 ....

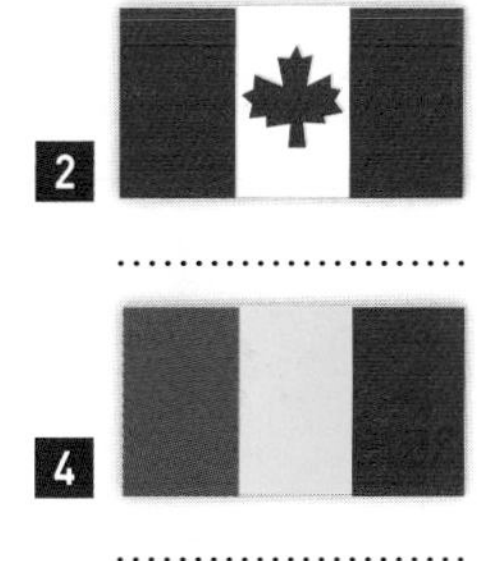

2 ....

4 ....

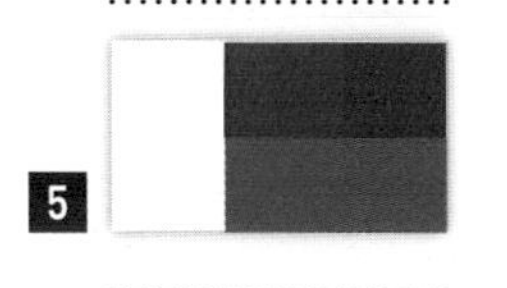

5 ....

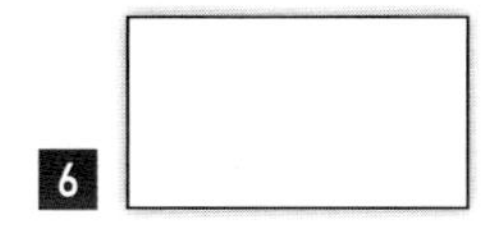

6 ....

Les Trois Mousquetaires

Écoute et regarde la BD de Max ! Puis décris les costumes du bal du carnaval et dis qui les porte !

1. Un joaillier : *personne qui fabrique et vend des bijoux.* – 2. Prêts : *finis.*

Consignes de classe

Colorie !
Décris les photos !
Retourne-toi !
Tu as besoin de...

Communication

Tu sais maintenant...

■ **parler du destinataire, du but d'une action :**
C'est pour qui ?
C'est pour le pirate. C'est pour lui.
C'est pour quoi faire ?
C'est pour faire des photos.
Tu te déguises en quoi ?
Je me déguise en fée.

■ **parler des vêtements que tu portes :**
Qu'est-ce que tu portes ?
Je porte un tee-shirt bleu et un blouson beige.
Ma couleur préférée, c'est le vert.

■ **parler du moment d'une action :**
C'est quand le carnaval ?
En février ou en mars.

■ **dire que tu sais ou que tu ne sais pas :**
Je sais. Je ne sais pas.

Vocabulaire

Vêtements et déguisements

la basket*
le blouson
la botte
la casquette
le chapeau
la chaussure
la chemise
le collant
le gilet
le jean
la jupe
le magicien
le manteau
le pantalon
la plume
le pull
la robe
la sorcière
le tee-shirt
la tennis*
la veste
le vampire
le vêtement

Fêtes

la bûche (de Noël)
le carnaval
la Chandeleur
le costume
le défilé
la fête
la Fête de la musique
le feu d'artifice
la galette (des Rois)
le lampion
Noël (m.)
le Nouvel An
l'œuf (de Pâques) (m.)
Pâques (f. pl.)
le « poisson d'avril »
la Saint-Valentin

Verbes

se déguiser (en...)
s'amuser
chanter
danser
fêter
manger
manquer (il manque)
savoir
souhaiter

Adjectifs, adverbe, interjection et préposition

beige
blanc (f. **blanche !**)
Chut !
jaune
orange (pl. **orange !**)
pour (U 3)
rose
rouge
(Ah) si !
violet (f. **violette**)

Certains mots, introduits dans les consignes, les textes ou la BD, n'ont pas été l'objet d'un entraînement systématique et n'apparaissent pas ici. Ils sont toutefois indiqués en italique quand ils seront ou pourront être réutilisés plus tard.

* Le basket, le tennis : le sport ; la basket, la tennis : la chaussure de sport.

Grammaire

Accord de l'adjectif qualificatif (suite)

Un pantalon blanc. Une chemise blanc**he**.
Un tee-shirt violet. Une robe violet**te**.
Un collant orange. Des chaussures **orange**. *(invariable)*

Les verbes pronominaux (suite)

Ils s'emploient avec un pronom personnel réfléchi (voir page 55).
s'amuser : je **m'**amuse, tu **t'**amuses, il / elle / on **s'**amuse, nous **nous** amusons, vous **vous** amusez, ils / elles **s'**amusent
se déguiser : je **me** déguise, tu **te** déguises, il / elle / on **se** déguise, nous **nous** déguisons, vous **vous** déguisez, ils / elles **se** déguisent

Négation : Je **ne** m'amuse **pas**. Je **ne** me déguise **pas** en pirate.

Le verbe *savoir*

je sai**s**, tu sai**s**, il / elle / on sai**t**, nous sav**ons**, vous sav**ez**, ils / elles sav**ent**

La préposition *pour*

Devant un verbe à l'infinitif : C'est **pour** faire les photos du carnaval.
Devant un nom ou un pronom interrogatif ou personnel : C'est **pour** qui ?
C'est un cadeau **pour** d'Artagnan. C'est **pour** lui.

L'adverbe interrogatif *quand ?*

C'est quand la fête nationale en France ? En juillet ?

Les questions avec *est-ce que... ?*

Tu as les costumes ? = **Est-ce que** tu as les costumes ?
Tu portes quoi aujourd'hui ? = Qu'**est-ce que** tu portes aujourd'hui ?
On fête quand le carnaval ? = Quand **est-ce qu'**on fête le carnaval ?

Phonétique

Les sons [ʃ] et [ʒ] : chemise, jeudi...

Stratégies

Pour mieux apprendre...

■ Si tu ne connais pas un mot en français, par exemple pour décrire un vêtement ou une couleur, regarde dans un dictionnaire ou demande à ton professeur : « Comment on dit ... , s'il vous plaît ? »
■ Essaie toujours de réutiliser un mot nouveau plusieurs fois et dans un autre contexte !

Culture et civilisation

D'autres fêtes en France

La Chandeleur (le 2 février)

La Saint-Valentin (le 14 février)

Le « poisson d'avril » (le 1er avril)

La Fête de la musique (le 21 juin)

Ma maison

1 Écoute et regarde ! Puis dessine le plan de la maison de Milady !

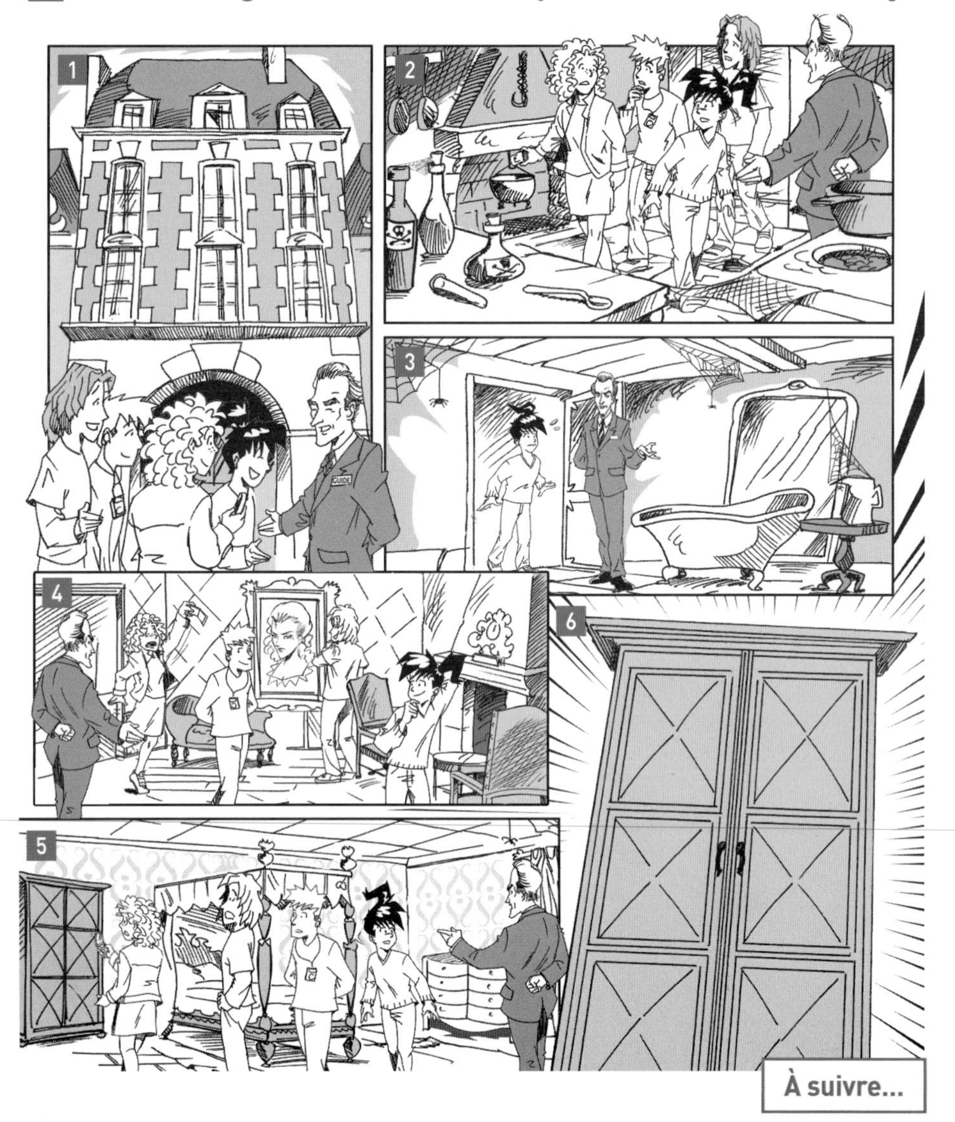

À suivre...

Image 1
Léa : Bonjour ! Nous faisons un reportage sur la maison de Milady.
Max : On peut visiter ?
Le guide : Bien sûr.
Agathe : Super, entrons !

Image 2
Le guide : Par ici, s'il vous plaît. Alors, voilà la cuisine... Milady aimait beaucoup faire la cuisine...

Image 3
Le guide : Voici la salle de bains de Milady.
Léa : Je peux entrer ? Beurk... il y a des araignées !

Image 4
Le guide : Ici, c'est la salle de séjour avec les fauteuils, la table et le canapé de Milady.
Max : Regardez son portrait : elle est très belle !

Image 5
Le guide : Là, c'est la chambre de Milady avec sa commode et son lit et... l'armoire !

Image 6
Léa : L'armoire ?
Le guide : Oui, l'armoire secrète...
Tous : Oh !

2 Écoute et répète ! Puis note les lettres dans l'ordre ! Tu as deux écoutes !

A 
l'entrée

B 
la cuisine

C 
la salle de séjour/la salon

D 
le garage

E 
la chambre

F 
la salle de bains

G 
les toilettes

H 
le jardin

la salle-à-manger

3 **Associe chaque texte à une image ! Où habitent Juliette, Lucas, Alice et Hugo ?**

Bonjour ! Nous habitons dans un appartement. Nous n'avons pas de jardin, mais il y a le parc à côté et c'est bien pratique : mon frère et moi, nous avons un chat et un chien ! Juliette 4

J'habite en plein centre, à côté du musée. Nous avons deux chambres et une salle de séjour. La maison est petite, mais ça va. Dans ma chambre, j'ai mon hamster et mes poissons. Lucas 1

Salut à tous ! Nous habitons dans un appartement, à côté de la gare. Nous avons une grande entrée, une salle de séjour et trois chambres. Nous avons aussi un garage. Dans la cuisine, il y a ma perruche. Alice 3

Dans ma maison, il y a l'entrée, la cuisine, deux salles de bains, les toilettes, quatre chambres et une grande salle de séjour. Nous avons aussi un grand jardin et un garage. Hugo 2

1

2

3

4

4 **Décris ta maison ou ton appartement !**

Tu habites où ? Dans une maison ? Dans un appartement ? Il y a combien de pièces ? Il y a un jardin ? Un garage ?
À toi ! → J'habite dans un(e) ... . Il y a ...

Puis dessine le plan de ta maison ou de ton appartement et présente-le à ton voisin ou ta voisine !

Exemple : Voici la cuisine, la salle de séjour, etc.

5 **Écoute et réponds !**

1 Où est Agathe ? dans sa chambre ? dans la cuisine ? Elle fait des photos ? Elle fait la cuisine ?
2 Où est Max ? Dans la salle de séjour ? dans la salle de bains ? Il déjeune ? Il se brosse les dents ?
3 Et Théo ? Il est dans le jardin ou dans le garage ? Qu'est-ce qu'il fait ? Il fait du sport ? Il dort ?
4 Où est Léa ? Elle est dans l'entrée ? Elle écoute de la musique ? Elle joue sur son ordinateur ?

6 **Écoute et répète les nombres (à voix basse) ! Puis écoute, montre les lots de la « Grande Loterie » et dis ce que c'est !**

Exemple : Le soixante-treize ? – C'est un CD. **Maintenant, c'est à toi !**

soixante-dix
soixante et onze
soixante-douze
soixante-treize
soixante-dix-sept
soixante-dix-neuf
quatre-vingts
quatre-vingt-un
quatre-vingt-deux
quatre-vingt-dix
quatre-vingt-onze
cent

Lots à gagner :
un CD
une casquette
un baladeur
un livre
un portable
un poisson rouge
un sac
une trousse
des crayons
un tee-shirt
des rollers
un lapin

1 Écoute et répète ! Puis propose d'autres « cachettes » pour le fantôme de Milady !

2 Écoute et montre ! Puis regarde la chambre d'Agathe et écoute : vrai ou faux ?

Où ?
dans – derrière – sur – devant – sous – entre – à côté de – à gauche (de) – à droite (de)

3 Décris ta chambre réelle ou imaginaire !

Exemple : Dans ma chambre, à droite, il y a une armoire. À gauche, devant le lit, j'ai un bureau. Entre le bureau et le lit, il y a un tapis beige, etc.

4 Qu'est-ce que tu peux faire dans ta chambre (réelle ou imaginaire) ? Prépare tes réponses, puis échange avec ton voisin ou ta voisine !

Dans ma chambre, je peux...

écouter de la musique ☐	avoir un animal ☐	lire ☐
travailler ☐	faire de la musique ☐	me déguiser ☐
dessiner ☐	jouer à l'ordinateur ☐	m'amuser ☐
regarder la télévision ☐	surfer sur Internet ☐	... ☐
faire du sport ☐	rêver ☐	... ☐

5 Les sons [ɑ̃] et [ɛ̃] → Tu entends le son [ɑ̃] de *chambre* ? Note les bons numéros ! Tu as deux écoutes ! Puis chante le rap !

Au centre du dessin, ma chambre et mon grand jardin !

1 Écoute et répète les dates !

1320 : treize cent vingt - 1630 : seize cent trente - 1840 : dix-huit cent quarante - 1950 : dix-neuf cent cinquante

2 Écoute et lis !

Habiter à Paris au Moyen Âge, en 1320...
Dans la maison, il y a une grande pièce : elle sert de salle de séjour ou de chambre. À l'heure du repas, on « met la table » : on apporte une grande planche et des tréteaux[1] ! Les rues sont étroites et sombres, mais aussi très animées : il y a des passants[2], des colporteurs[3], des montreurs d'animaux, des jongleurs et... beaucoup de bruit !

... du temps de d'Artagnan, en 1630...
On fait la cuisine dans une grande cheminée. On ne mange pas encore de frites (de pommes de terre) ou de tomates : originaires des Andes, elles ne sont introduites en France qu'à partir de 1750. Mais à la cour du roi Louis XIII, on boit déjà du chocolat. Anne d'Autriche et Richelieu adorent cette boisson qui vient du Mexique !

... du temps d'Alexandre Dumas, en 1840...
On s'éclaire à la lampe à huile et on se chauffe au charbon. Le soir, on ne regarde pas la télé et on n'écoute pas la radio : on joue aux cartes, on lit, on raconte des histoires. Dans la rue, on fait du vélo (« vélocipède ») et du roller (« patin à roulettes ») et on conduit des voitures à vapeur et des omnibus !

... et en 1950.
Dans la salle de séjour, il y a une télévision en noir et blanc avec une seule chaîne. Il y a aussi une radio et un « tourne-disques ». Dans la cuisine, il y a un réfrigérateur et une machine à laver. Dans l'entrée, il y a un téléphone noir. On ne peut pas encore jouer à ordinateur, écouter son baladeur ou faire des photos avec son portable !

3 Réponds aux questions !

1 Au Moyen Âge, est-ce qu'on peut dormir dans la salle de séjour ou manger dans la chambre ?
2 Est-ce que Richelieu mange des tomates et des pommes de terre ? Est-ce qu'il boit du chocolat ?
3 Qu'est-ce qu'on peut faire en 1840 ? On peut écouter la radio ? On peut faire du vélo ? de la moto ?
4 En 1950, qu'est-ce qu'on peut faire ? Surfer sur Internet ? téléphoner ? regarder la télévision ?
5 Ferme les yeux et décris la salle de séjour des années 1950, ses meubles et ses couleurs !

1. Une planche et des tréteaux : – 2. Un passant : *personne qui passe à pied.* – 3. Un colporteur : *marchand ambulant.*

Les Trois Mousquetaires

Écoute et regarde la BD de Max ! Compare avec les images de la page 74 !

1. Fleur de lys : *emblème de la royauté, mais aussi marque au fer rouge qu'on appliquait en France, sous le régime de la monarchie, sur l'épaule des voleurs ou des criminels. Elle fut abolie en 1832, douze ans avant qu'Alexandre Dumas n'écrive* Les Trois Mousquetaires. – 2. L'infamie (f.) : *la honte.*

Unité 9 On récapitule !

Consignes de classe

Dessine le plan !

Écoute et lis !

Propose (d'autres cachettes) !

Communication

Tu sais maintenant…

■ **dire où tu habites et décrire ta chambre :**
Tu habites dans une maison ?
J'habite dans un petit appartement.
Où est ta perruche ?
Ma perruche est dans la cuisine.
Dans ma chambre, il y a une commode.
C'est le portrait de qui ?
C'est le portrait de Milady.

■ **exprimer une possibilité, une permission :**
Je peux entrer ?
On peut visiter.

■ **exprimer le dégoût :**
Beurk !

■ **compter jusqu'à 100**

■ **indiquer une date**
En 1630.

Vocabulaire

Mobilier, pièces de la maison, etc.

l'appartement *(m.)*
l'araignée (f.)
l'armoire *(f.)*
le bureau
le canapé
la chaise
la chambre
la commode
la cuisine (U 4)
l'entrée *(f.)*
le fantôme
le fauteuil
le garage
l'idiot (m.)
le jardin
la lampe
le lit
la maison
l'ordinateur *(m.)* (U 4)
la pièce
le plan
le reportage
la salle de bains
la salle de séjour
la table
le tapis
le téléphone
les toilettes

Verbes

boire
se cacher
connaître
entrer
lire
mourir
pouvoir
visiter

Adjectifs, adverbes, interjections et préposition

beau (belle)
beaucoup
Beurk !
Bien sûr !
là
partout
secret (secrète)
sous

Nombres de 70 à 100

soixante-dix
soixante et onze
soixante-douze
soixante-treize
soixante-quatorze
soixante-quinze
soixante-seize
soixante-dix-sept
soixante-dix-huit
soixante-dix-neuf
quatre-vingts
quatre-vingt-un
quatre-vingt-deux…
quatre-vingt-dix
quatre-vingt-onze
quatre-vingt-douze
quatre-vingt-treize
quatre-vingt-quatorze
quatre-vingt-quinze
quatre-vingt-seize
quatre-vingt-dix-sept
quatre-vingt-dix-huit
quatre-vingt-dix-neuf
cent

Certains mots, introduits dans les consignes, les textes ou la BD, n'ont pas été l'objet d'un entraînement systématique et n'apparaissent pas ici. Ils sont toutefois indiqués en italique quand ils seront ou pourront être réutilisés plus tard.

Grammaire

Le verbe *pouvoir*

je peu**x**, tu peu**x**, il / elle / on peu**t**, nous pouv**ons**, vous pouv**ez**, ils peuv**ent**

Le verbe *faire*

je fai**s**, tu fai**s**, il fai**t**, il / elle / on fai**t**, nous fai**sons**, vous fai**tes**, ils / elles **font**

Le verbe *lire*

je li**s**, tu li**s**, il / elle / on li**t**, nous li**sons**, vous li**sez**, ils li**sent**

L'expression de l'appartenance avec *de*

Voilà le portrait **de** Milady.
C'est l'appartement **d'**Agathe.

L'expression *il y a...* (révision)

Il y a combien de pièces ?
À côté de la maison, il y a un jardin.
Il n'y a pas de télévision.

Les prépositions de lieu (systématisation)

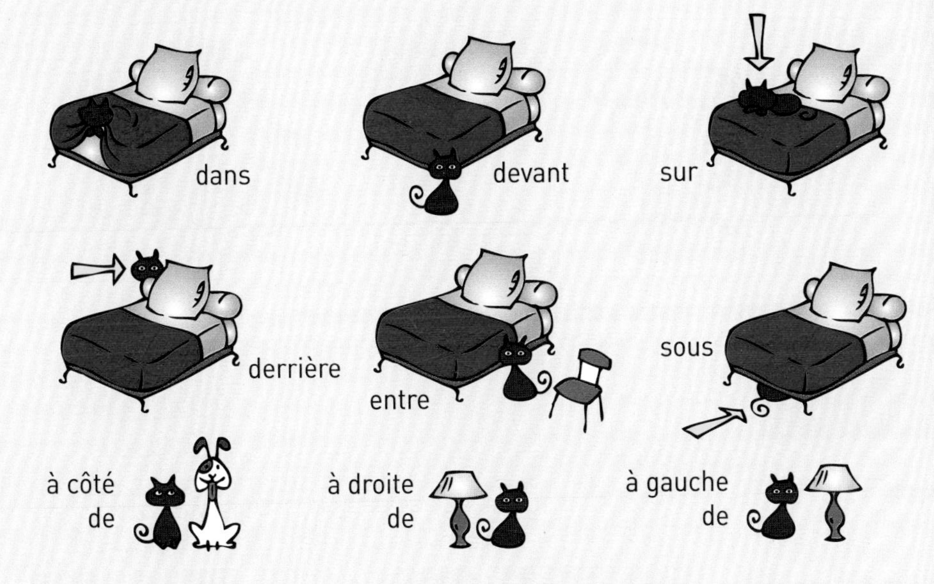

Phonétique

Les sons [ɑ̃] et [ɛ̃] : chambre, jardin...

Stratégies

Pour lire et comprendre un texte long...

- D'abord, tu n'as pas besoin de tout comprendre !
- Parcours le texte et cherche les mots que tu connais déjà.
- Essaie de déduire le sens des mots que tu ne comprends pas grâce aux images et d'après le contexte.

Culture et civilisation

Dans une maison française...

Dans la salle de séjour

Dans la cuisine

Dans une chambre

Dans la salle de bains

On révise et on s'entraîne pour le DELF A1 !

Document à photocopier !

Nom : .... **Prénom :** ....

Compréhension de l'oral (10 points)

1 Écoute et colorie les vêtements de Paul et de Vincent (ou note sur les vêtements la première lettre du nom de la couleur : « b » pour *bleu*, « r » pour *rouge*, etc.) ! Tu as deux écoutes !

2 Écoute et écris les noms *Margot*, *Louise* ou *Sophie* sous les images ! Tu as deux écoutes !

Image A	Image B	Image C
....	....	....

Compréhension des écrits (10 points)

1 Lis le texte et associe les images !

Exemple : 1-C

1

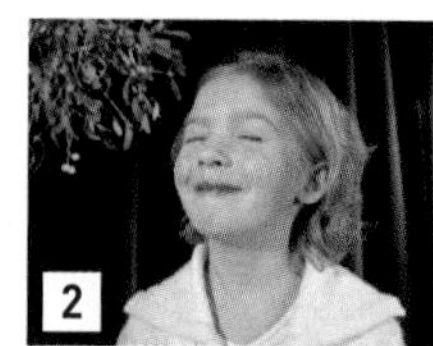
2

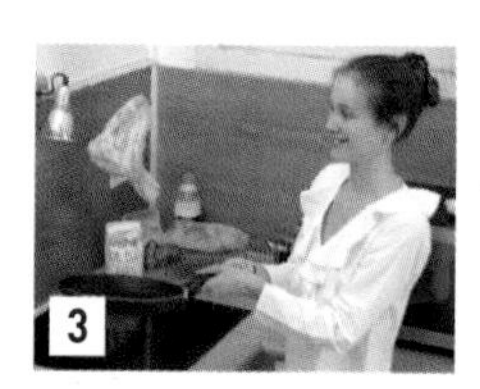
3

4

5

6

Chez moi, c'est toujours la fête à la maison ! A Pâques, par exemple, on cache les œufs partout dans la salle de séjour. Mais c'est toujours dans l'entrée qu'on met le sapin de Noël. Le soir du 14 Juillet, on regarde le feu d'artifice dans le jardin, sous les lampions. Pour le Jour de l'an, on fait une fête avec mes amis : mon père et ma mère partent avec la voiture et on danse et on écoute de la musique... dans le garage ! Les crêpes de la chandeleur ? Alors là, on les mange dans la cuisine, bien sûr. Et pour le carnaval, je me déguise dans ma chambre...

Vive les fêtes ! Amélie

A

B

C

D

E

F

2 **Lis le courriel de Paul ! Vrai (V) ou faux (F) ?**

1 Paul habite dans un appartement.
2 La famille de Paul a une piscine.
3 Elle a un grand garage.
4 Dans la maison, il y a trois chambres.
5 Paul et son père ont un « studio photo ».
6 Paul a un frère.
7 Son frère fait de la musique.
8 Paul a une petite chambre.
9 Il a des posters et des livres.
10 Il n'y a pas de télévision dans sa chambre.

À : Amir
CC :
Objet : Chez moi
Pièces jointes : Photos

Salut Amir !
Merci pour la photo de ton appartement. Moi, j'habite dans une maison, près de la piscine de la ville ! Dans ma maison, il y a une cuisine, une salle de séjour, une salle de bains et un garage pour deux voitures. Ah, il y a aussi les toilettes et une petite pièce pour mon père et moi. C'est notre « studio » : on fait de la musique !
Nous avons trois chambres : une pour ma sœur, une pour moi et une pour mes parents. Ma chambre est petite, mais je l'aime beaucoup : j'ai mon ordinateur portable, une petite télé, des livres, beaucoup de posters et... ma trompette ! Je t'envoie des photos de ma chambre et du « studio ».
Amitiés, Paul

Production écrite (10 points)

Tu écris à ton (ta) correspondant(e). Tu lui décris tes actrices, acteurs, chanteuses, chanteurs ou sportifs préféré(e)s, ou encore tes personnages de BD ou de dessins animés préférés. (40 mots)

Il s'appelle ... . Il est ...
Elle s'appelle ... . Elle est ...

Production et interaction orales (10 points)

Présente-toi, tes couleurs et tes vêtements préférés !

Tu es grand(e), petit(e), de taille moyenne ?
Tu as les cheveux, les yeux de quelle couleur ?
Quelle est ta couleur préférée ?
Quelle est la couleur (quelles sont les couleurs) que tu n'aimes pas ?
Qu'est-ce que tu portes souvent ? Pourquoi ?
Quel est le vêtement (quels sont les vêtements) que tu n'aimes pas ?
Pourquoi ?
Qu'est-ce que tu penses de la mode ? C'est bien ? Ce n'est pas bien ?
Pourquoi ?
Tu fêtes le carnaval ? Tu te déguises ? En quoi ?

Mes sensations

1 Écoute et repère les sensations des personnages !

Image 1
Léa : Le livre est bientôt fini ! Tes dessins, Max, ils sont prêts ?
Max : Euh, non... je suis fatigué et j'ai mal à la tête !

Image 2
Léa : Agathe, tu as tes photos pour le livre ?
Agathe (pleure) : Oh, ça ne va pas... je suis triste !

Image 3
Léa : Euh... Théo, les chansons sont finies ?
Théo : Non, je suis malade, j'ai mal à la gorge.

Image 4
Léa : Mais qu'est-ce que vous avez tous ?
Agathe,Théo et Max : On travaille trop ! Voilà...

Image 5
Léa : Oh, vous êtes fâchés ?
Agathe,Théo et Max : Non, on est malades*, on est tristes*, on est stressés* et on est fatigués*. C'est tout !

Image 6
Léa : Bon, eh bien, moi, je vais bien et j'ai faim !
Agathe,Théo et Max : Quel monstre !

2 Écoute et note les lettres dans l'ordre ! Tu as deux écoutes !

Je suis fatigué(e).
Je suis triste.
Je suis malade.
Je suis fâché(e).
Je suis stressé(e).

A

B

C

D

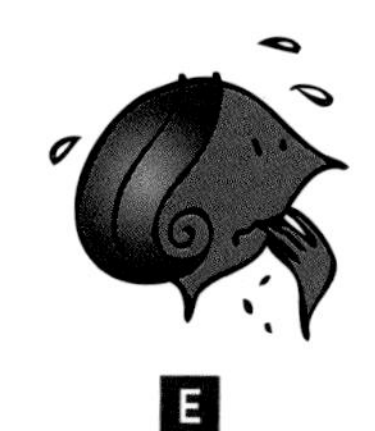
E

3 Et toi ? Comment ça va aujourd'hui ?

Tu es triste ? Tu es fâché(e) ? Tu es fatigué(e) ? Tu es stressé(e) ? Tu es malade ? Tu vas bien ?
→ Aujourd'hui, je ... .

* L'adjectif attribut peut s'accorder avec *on* comme avec *nous*, c'est-à-dire au pluriel.

4 Le jeu du miroir

Ton / ta voisin(e) est « ton miroir ». Il / elle mime une sensation, par exemple la tristesse ! Tu le / la regardes et tu dis : Je suis triste ! (et non *Tu es triste* : tu te décris toi-même dans ton « miroir »...)

À vous de jouer !

5 Écoute et chante le rap !

Mais qu'est-ce que j'ai ? Mais qu'est-ce que j'ai ?
Je suis fatigué, triste et stressé.
Mais je veux m'amuser, rire et chanter !
Je vais très bien et je vais très mal.
– Tu es amoureux, ça c'est génial !

Mais qu'est-ce que j'ai ? Mais qu'est-ce que j'ai ?
Je suis malade, triste et fâchée.
Mais je veux m'amuser, rire et danser !
Je vais très bien et je vais très mal.
– Tu es amoureuse, ça c'est génial !

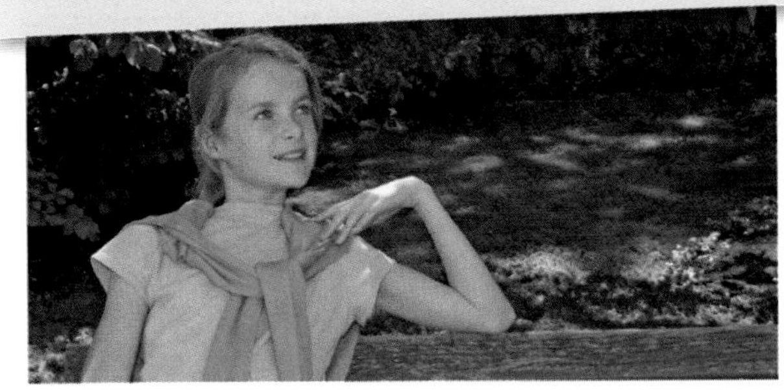

6 Écoute, regarde et répète !

J'ai soif !

Hm... J'ai faim !

Brrr. J'ai froid !

Oh là là, j'ai chaud !

Oh... J'ai sommeil !

Au secours, j'ai peur !

7 Relie les phrases ! Puis compare avec ton voisine, ta voisine !

J'ai froid. ▸	◂ Je veux manger un sandwich !
J'ai chaud. ▸	◂ Je veux mettre un pull !
J'ai soif. ▸	◂ Je veux aller au lit !
J'ai faim. ▸	◂ Je ne veux pas m'amuser !
Je suis fatigué. ▸	◂ Je veux aller à la piscine !
Je suis triste. ▸	◂ Je ne veux pas travailler !
J'ai sommeil. ▸	◂ Je veux boire un coca !
Je suis malade. ▸	◂ Je ne veux pas me lever !

8 Les sons [f] et [v] → Tu entends le son [f] de *froid* combien de fois ? Trois, quatre, cinq, six fois ? Tu as deux écoutes ! Puis chante le rap !

Vous avez faim, vous avez froid ? Vous voilà fâchés et fatigués ?

1 Écoute Max et montre les parties du corps sur l'image !

Aïe aïe, ma tête ! Je suis trop grand !
Oh, mes jambes ! Je ne fais pas assez de sport !
Ouille ouille, mes yeux ! Je regarde trop la télé !
Aïe aïe aïe, mon ventre ! J'aime trop la pizza !
Oh là là, mes dents ! Je mange trop de caramels !
Ah, mon dos ! Je dors trop ! Mais comme ça, je ne suis pas trop stressé...

2 Et toi ? Comment tu te vois ?

Tu es **trop** grand(e) ? ... Tu regardes **trop** la télé ? ...
Tu aimes **trop** le chocolat ? ... Tu dors **trop** ? ... Tu fais **trop** de sport ? ...
Tu travailles **trop** ? ... Tu es **trop** stressé(e) ? ...
Ou bien au contraire : Tu n'es **pas assez** grand(e) ? ... Tu ne regardes **pas assez** la télé ? ... Tu ne dors **pas assez** ? ... Tu ne fais **pas assez** de sport ? ... Tu ne travailles **pas assez** ? ..., etc.

3 Lis et trouve les bonnes réponses ! Puis écoute le CD pour vérifier !

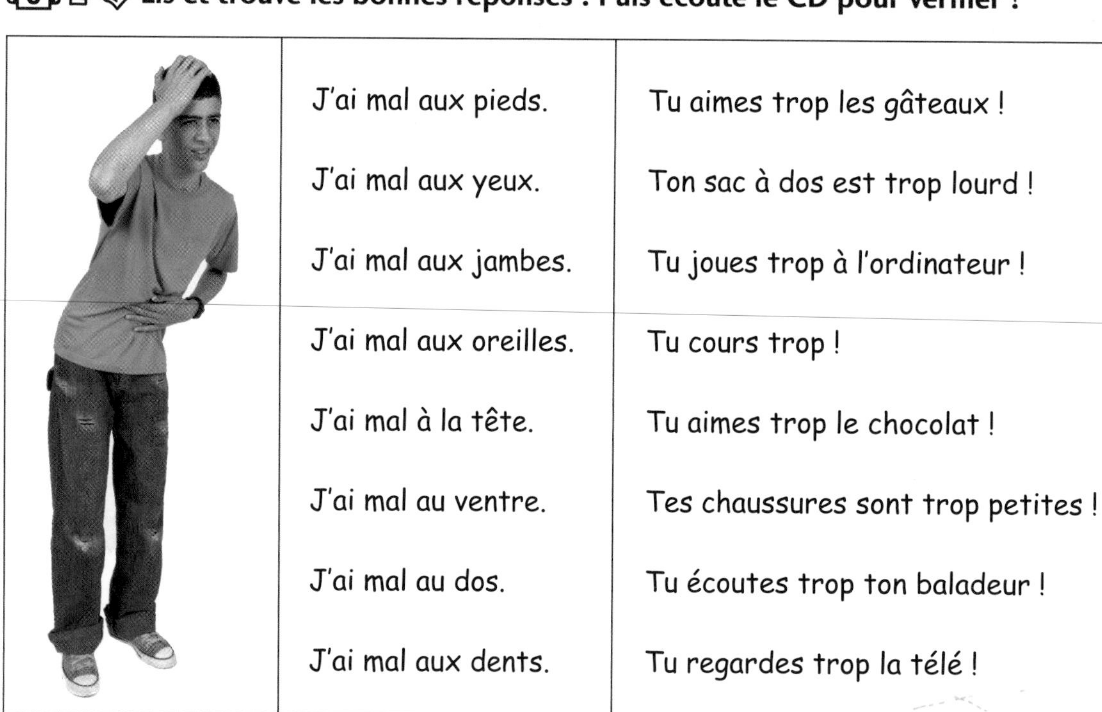

J'ai mal aux pieds.	Tu aimes trop les gâteaux !
J'ai mal aux yeux.	Ton sac à dos est trop lourd !
J'ai mal aux jambes.	Tu joues trop à l'ordinateur !
J'ai mal aux oreilles.	Tu cours trop !
J'ai mal à la tête.	Tu aimes trop le chocolat !
J'ai mal au ventre.	Tes chaussures sont trop petites !
J'ai mal au dos.	Tu écoutes trop ton baladeur !
J'ai mal aux dents.	Tu regardes trop la télé !

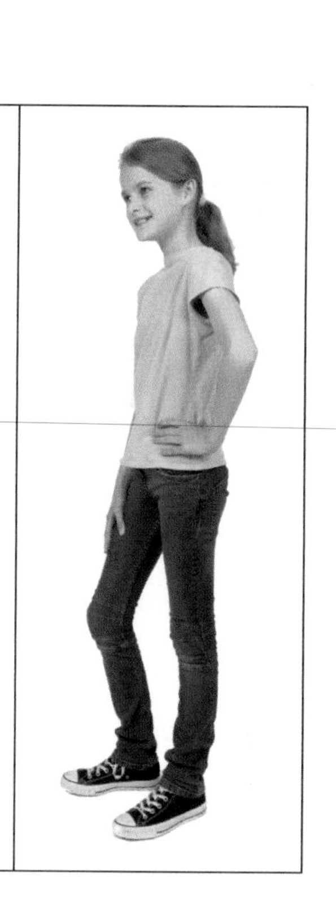

4 Complète à l'oral avec *au, à la, à l'* ou *aux* !

J'ai mal ... gorge. – J'ai mal ... tête. – J'ai mal ... jambe. – J'ai mal ... jambes. – J'ai mal ... main. – J'ai mal ... oreille. – J'ai mal ... oreilles. – J'ai mal ... nez. – J'ai mal ... dos. – J'ai mal ... ventre. – J'ai mal ... pied. – J'ai mal ... yeux. – J'ai mal ... pieds. – J'ai mal ... dents.

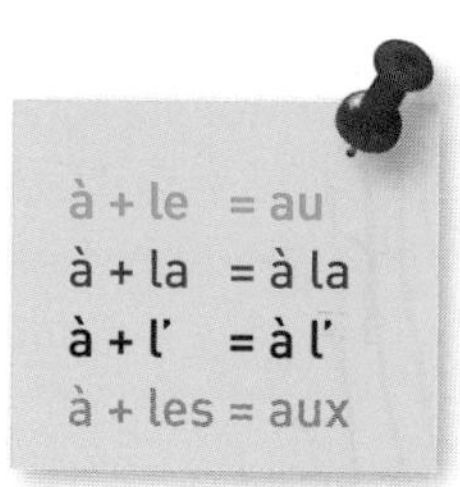

5 Travaille maintenant avec ton voisin ou ta voisine !

Exemple : A J'ai mal à la gorge. **B** Tu es trop fatigué(e) ! *ou bien* Tu ne manges pas assez de caramels...
Maintenant, c'est à vous !

Nom: Annalise **Les émotions**

Etre	Avoir
Je suis: (verbe être) • Content(e)- heureux (heureuse) happy • Amoureux (amoureuse) in love • Triste sad • Malade sick • Fatigué(e) tired • Stressé(e) stressed • Fâché(e) mad Ca va: it's going well Ca ne va pas not going well Ca ne va pas du tout Not good at all Je vais bien beaucoup trop too much pas assez not enough	J'ai: (verbe avoir) • Faim hungry • Soif thirsty • Sommeil tired • Peur scared • Froid cold • Chaud hot • Mal à la gorge sore throaght • Mal au ventre stomachache • Mal à la tête, etc… Headache Avoir l'air: to look ⇨ Marie a l'air triste Marie looks sad

A- Mets le mot correct dans la phrase

1) Sophie boit trop de soda, maintenant elle a mal au ______________________
2) Tu tousses beaucoup! Tu as mal à la ____________________?
3) Marc est _____________________ parce que c'est le weekend!
4) Nous __________ stressés parce que notre chien ________________ malade.
5) Oh non! J'ai ___________________!!! Je n'aime pas les films d'horreur!
6) Vite, donne-moi de l'eau!! J'____________________.
7) Comment ça va? Tu as _______________________fatiguée------ Oui, j'ai __________________
8) Tu as _________________? Mets to manteaux!
9) Nathalie a _______________________. Elle veut juste aller dans son lit et se reposer….
10) Nous avons ___________________ après le sport! Il est l'heure de manger!

B- Ecris les phrases en français

1) You look mad.
2) Yes, I AM mad. I am looking for my math book. (to look for = chercher)
3) My throat hurts. I need a cup of warm tea.
4) I listen to music too much, my ears hurt.
5) Her stomach hurts because she drinks too much soda.

C- Fais 5 phrases intéresssantes avec une émotion et un autre detail. Utilise le vocabulaire du livre des pages 84, 85, 86

Ex:

- Je suis heureuse parce que je suis amoureuse
- Mon sac est trop lourd, j'ai ml au dos!
- Je vais chez le dentiste parce que j'ai mal aux dents!
- Je suis contente/heureuse quand je fais de l'exercise.
- Ma mère est stressée parce qu'elle a trop de travail.
- Ma copine est fâchée parce qu'elle est fatiguée.

D- Décris les images suivantes (4 phrases pour chaque)

	Ex: Ils sont heureux parce qu'ils sont amoureux. Ils regardent la lune et le ciel. Il est 21 heures. Ils vont au cinéma. Ils aiment être amoureux! La vie est belle!

Ma chambre

Une lampe

Une commode

Un lit

Un tapis

Une table de chevet

Une télé

Un frigo

Un évier

Mon salon

Ma cuisine

Une chaise

Un canapé

Une petite table

Ma salle à manger

Ma salle de bains

Christine

1 Lis l'article !

Les conseils du docteur MEDICO

Tu as mal au dos ?

Tu passes beaucoup de temps à l'école : tu travailles, tu manges, tu fais du sport, du dessin, de la musique et tu dois porter tout un « bagage » pour aller au collège, pour en revenir et pour aller d'une salle de classe à l'autre.
Alors, tu peux avoir mal au dos !
50 %[1] des élèves portent un sac à dos trop lourd qui pèse 20 % ou plus de leur poids (9 kilos en moyenne). Or, ton sac à dos ne doit pas peser plus de 10 % de ton poids !

Exemples :

Ton poids	Poids de ton sac
39 kilos	3,9 kilos
43 kilos	4,3 kilos
48 kilos	4,8 kilos
55 kilos	5,5 kilos
60 kilos	6,0 kilos

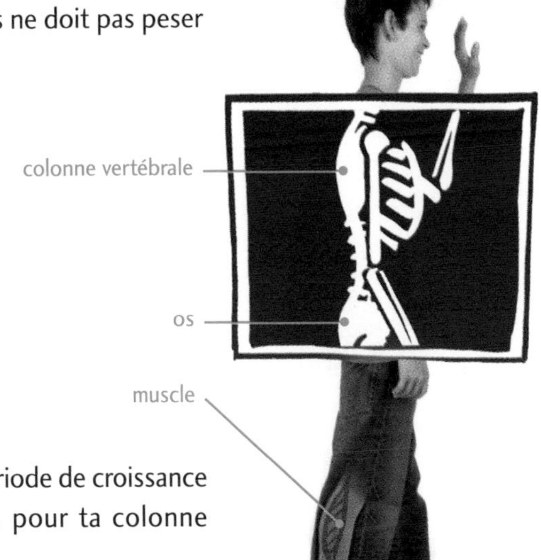

Tu dois bien connaître ton dos, car tu es dans une période de croissance très importante pour tes muscles et tes os et… pour ta colonne vertébrale !

Conseils :

– Choisis un sac à dos pas trop grand.
– Porte-le **dans le dos** et pas sur l'épaule ou à la main.
– Mets tes livres au fond du sac (et près du dos), puis mets tes cahiers, ta trousse, etc.
– Fais ton sac chaque jour pour bien contrôler ce que tu portes.
– Laisse des livres ou des affaires dans un casier[2] ou une armoire au collège, si tu le peux !

Et… bouge ! Fais du sport régulièrement pour avoir une colonne vertébrale et un dos en bonne santé !

2 Maintenant, réponds aux questions et explique !

1 Tu pèses combien ? ... Combien pèse ton sac à dos ? ...
2 Tu portes ton sac à dos comment ? Dans le dos, sur l'épaule ou à la main ? ...
3 Combien de livres est-ce que tu portes en moyenne dans ton sac ? ... Ils sont lourds ou légers ? ...
4 En plus des livres, qu'est-ce que tu portes dans ton sac ? des cahiers ? ... une trousse ? ... un baladeur ? ... un portable ? ... un jeu vidéo ? ... un sandwich ? ... du chocolat ? ... des chips ? ... une pomme ? ... une banane ? ... une boisson ? ... autre chose ? ...
5 Tu as un casier ou une armoire au collège pour mettre tes livres, tes cahiers, tes affaires de sport ? ...
6 Tu fais du sport ? ... Combien de fois ou combien d'heures par semaine ? une ? deux ? trois ? plus ?
7 Et... si tu as mal au dos, tu sais maintenant ce que tu peux faire ? ...

1. 50% = *cinquante pour cent* - 20% = *vingt pour cent* - 10% = *dix pour cent* – 2. un casier : *un meuble avec des compartiments, des cases.*

Les Trois Mousquetaires

Écoute et regarde la BD de Max ! Puis choisis un rôle et joue-le avec trois autres camarades !

* « sinon... je perds la reine » : *Richelieu va raconter au roi tout ce qu'il sait ou ce qu'il pense savoir sur les relations entre la reine et Buckingham. Ainsi l'honneur et la réputation de la reine seront perdus.*

Unité 10 On récapitule !

Consignes de classe

Comment tu te vois ?
Écoute le CD pour vérifier !
Lis l'article !
Montre sur l'image !
Trouve les bonnes réponses !

Communication

Tu sais maintenant...

■ **exprimer ton état général :**
Comment ça va ? Qu'est-ce que tu as ?
Je vais bien. Je vais mal. Ça ne va pas.

■ **exprimer tes sentiments :**
Je suis triste.
Je suis fâché(e).
Je suis stressé(e).
J'ai peur.
Quel monstre !
Au secours !
Oh là là !
Comment ?

■ **exprimer tes sensations physiques :**
Je suis fatigué(e). Je suis malade.
J'ai froid. J'ai chaud.
J'ai faim. J'ai soif.
J'ai sommeil.
J'ai mal aux dents.
J'ai mal au dos.
J'ai mal à la gorge.
J'ai mal aux oreilles.
J'ai mal aux pieds.
J'ai mal à la tête.
J'ai mal au ventre.
J'ai mal aux yeux.
Etc.

Vocabulaire

Sensations, émotions et parties du corps

le chaud
la dent
le dos
l'épaule (f.)
la faim (U 3)
le froid
la gorge
le kilo
le mal
la peur
le poids
la soif
le ventre
le sommeil

Verbes

s'amuser (U 8)
boire (U 9)
chanter (U 8)
danser (U 8)
manger (U 8)
mettre
peser
rire

Adjectifs, adverbes et interjections

amoureux / amoureuse
fâché(e)
fatigué(e)
lourd(e)
malade
mort(e)
stressé(e)
triste
assez / pas assez
bientôt (U 7)
Comment ?
Oh là là !
Au secours ! (U 9)
trop

Certains mots, introduits dans les consignes, les textes, la chanson ou la BD, n'ont pas été l'objet d'un entraînement systématique et n'apparaissent pas ici. Ils sont toutefois indiqués en italique quand ils seront ou pourront être réutilisés plus tard.

Grammaire

Les verbes *boire* et *manger*

je boi**s**, tu boi**s**, il / elle / on boi**t**, nous b**uvons**, vous b**uvez**, ils / elles bo**ivent**
je mang**e**, tu mang**es**, il / elle / on mang**e**, nous mang**eons**, vous mang**ez**, ils / elles mang**ent**

Les verbes *devoir, pouvoir, vouloir* + infinitif

Tu dois porter ton sac...
Tu peux avoir mal au dos.
Je veux m'amuser.

L'accord de l'adjectif qualificatif (suite)

Il est fatigué. Elle est fatiguée.
Il est amoureux. Elle est amoureuse.
On est stress**és***.

L'adjectif exclamatif *quel, quelle, quels, quelles* !

Quel monstre ! Quels monstres !

L'adverbe *trop*

Je suis trop grand.
Tu dors trop.
Elle mange trop **de** chocolat.

L'adverbe *assez*

– *Dans le sens de* « plutôt » :
Je suis assez petit.
– *Dans le sens de* « suffisamment » :
Je mange assez.
Il ne fait pas assez **de** sport.

Phonétique

Les sons [f] et [v] : froid, voilà...

Stratégies

Pour t'entraîner à l'orthographe d'un mot...

- Regarde le mot pendant 10 secondes.
- Lis-le à voix haute.
- Quand tu penses l'avoir retenu, cache-le.
- Écris-le sur une feuille.
- Compare avec l'original. S'il reste une faute, recommence depuis le début !

*L'adjectif attribut s'accorde comme avec *nous*, au pluriel.

Culture et civilisation

Si tu es malade en France, tu peux aller...

... dans une pharmacie,

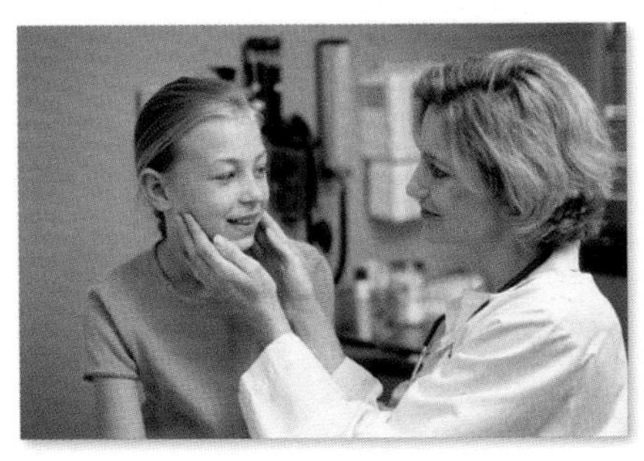

... chez le médecin,

... à l'hôpital,

... ou chez le dentiste, si tu as mal aux dents !

Mes repas

1 Écoute et observe ! Puis raconte l'histoire !

À suivre...

Image 1
Théo : Mais, qu'est-ce que tu fais ? Il est huit heures et quart...
Léa : Je prends mon petit déjeuner !

Image 2
Théo : C'est très mauvais, tu sais, les gâteaux. Il y a beaucoup de sucre, beaucoup de matières grasses.
Léa : Oui, je sais, mais...
Théo : Mange une pomme ou un yaourt ! Ça, c'est très bon.

Image 3
Léa : J'ai aussi un pain au chocolat...
Théo : Quelle horreur ! Ça n'a pas de vitamines, pas de calcium...

Image 4
Léa : Ou alors, une tartine avec de la confiture ?
Théo : Non, non, ça va pour le goûter, mais ça n'est pas assez pour le petit déjeuner.

Image 5
Léa : D'accord ! Aujourd'hui, je ne mange... rien !

Image 6
Théo : Bon alors, pour mon petit déjeuner... j'ai un gâteau, un pain au chocolat, une tartine avec de la confiture : super !

2 Écoute et répète (à voix basse ou dans ta tête) ! Puis numérote dans l'ordre ! Tu as deux écoutes !

☐ du lait

☐ du café

☐ du café au lait

☐ du thé

☐ du beurre

☐ de la confiture

☐ une tartine (de pain)

☐ un croissant

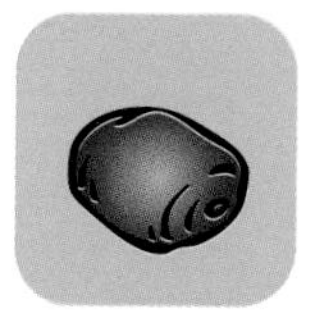
☐ un pain au chocolat

☐ un yaourt

☐ un œuf

☐ des céréales

3 Écoute et réponds !

REPORTAGE EXCLUSIF !

Les Français et le petit déjeuner !

Un Français sur cinq ne prend pas de petit déjeuner ! Et un Français sur deux ne mange pas assez le matin. Alors, beaucoup « grignotent[1] » pendant la journée : ils mangent des chips, du chocolat, des gâteaux...

Et toi ? Explique ! Pour le petit déjeuner, tu ne manges rien ? ... Tu manges peu ? ... Tu manges beaucoup ? ... Tu manges assez ? ...

Décris ton petit déjeuner ! Qu'est-ce que tu manges ? ... Qu'est-ce que tu bois ? ...

4 Range les noms des aliments et des boissons : recopie d'un côté ce qui est « mauvais » et de l'autre ce qui est « bon » pour un petit déjeuner équilibré ! Puis compare avec tes voisins !

une banane – du beurre – des chips – des céréales – du chocolat – du coca – de la confiture – un croissant – du fromage – un gâteau – du jus d'orange – du lait – un œuf – une orange – un pain au chocolat – une pomme – une tartine de pain – un yaourt, etc.

Mauvais (Trop de sucre, trop de matières grasses, peu de vitamines, peu de calcium...)	**Bon**  (Peu de sucre[2], peu de matières grasses, beaucoup de vitamines, beaucoup de calcium...)
...	...

5 Associe chaque texte à une photo et dis qui prend un « bon » petit déjeuner, selon toi ! Pourquoi ?

Moi, au petit déjeuner, je mange des céréales. Je mange aussi des tartines de pain avec du beurre, mais je ne bois rien, pas de café au lait, pas de chocolat, pas de jus d'orange. Alex

Alors, le matin, je n'ai pas faim et je ne mange rien. Je bois un peu de lait ou du jus d'orange. Mais à la récréation, je mange un pain au chocolat ou des chips ! Alice

Qu'est-ce que je prends au petit déjeuner ? Des croissants ! J'adore les croissants dans le café au lait. Mm... Avec beaucoup de confiture, c'est très bon. Zoé

Voici mon petit déjeuner : deux tartines de pain avec du beurre et de la confiture, un œuf, un peu de fromage ou un yaourt. Je mange aussi une orange ou une banane. Et je bois un grand bol de chocolat ! Hugo

1

2

3

4

1. « beaucoup grignotent » : *beaucoup mangent entre les repas.* – 2. *... ou des « sucres lents »* (pain, céréales).

1 Écoute et répète (à voix basse ou dans ta tête) !

Il est quelle heure ?

Il est dix heures...

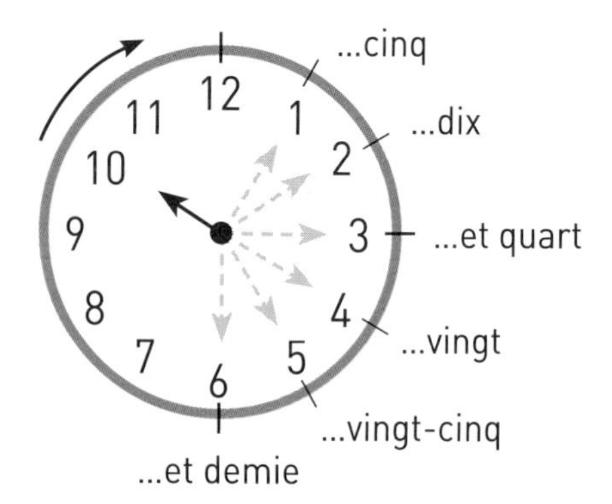

Il est onze heures...

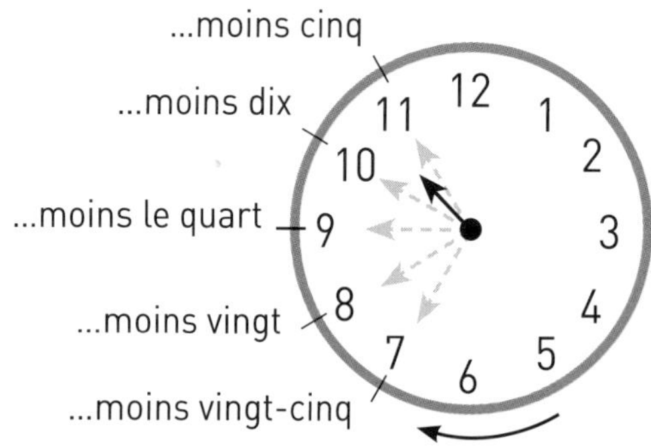

2 Écoute et regarde : vrai (V) ou faux (F) ?

1  V F

2  V F

3  V F

4 

V F

5 

V F

6 

V F

3 Écoute et écris les heures en chiffres !

Exemples : **1** (Il est) 4 h 30. **2** (Il est) 7 h 45. **À toi !**

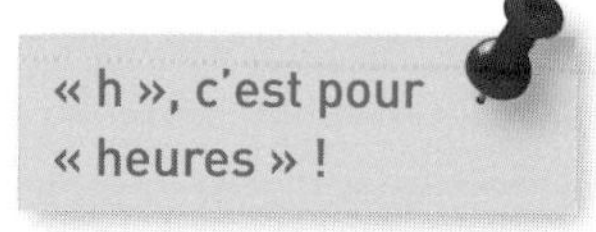

4 Travaille avec ton voisin ou ta voisine ! Tu dis une heure, il (ou elle) donne le bon numéro !

1 

2 

3 

4 

5 

6 

Exemple : **A :** Il est six heures et quart ! **B :** (C'est le) numéro 4 !

5 Maintenant, échange sur le modèle suivant en utilisant les informations données !

à la piscine
au supermarché
à la fête
au cinéma
au zoo
au stade

1 Attention… lis et corrige !! Puis écoute le CD !

En France, comme dans d'autres pays, il y a trois repas.
Un repas le *soir* : le petit déjeuner, un repas à midi : le déjeuner et un repas le *matin* : le *goûter*. Trois repas ? Non, quatre avec le *dîner* ! Le *dîner* est le « repas » de l'après-midi !
On prend les repas à quelle heure ? On prend le petit déjeuner entre *deux* et huit heures (ou plus tôt). On prend le déjeuner entre midi et midi *moins le quart* et le dîner entre *six* heures et demie et huit heures et demie du soir. On appelle le goûter le « quatre-heures » car on le mange à *trois* heures ou *trois* heures et demie, après la classe.

petit déjeuner : entre 7 h et 8 h
déjeuner : entre 12 h et 12 h 30
goûter : entre 16 h et 16 h 30
dîner : entre 19 h 30 et 20 h 30

2 Complète à l'oral !

Au petit déjeuner, je prends beaucoup … céréales avec un peu … lait. Au déjeuner, je mange … poisson avec … frites et je bois … eau. Au goûter, j'aime bien manger … tartines avec … confiture. Et enfin au dîner, je ne mange pas beaucoup : un peu … poulet et un peu … salade, c'est tout !

3 Regarde bien le menu, puis passe ta commande selon le modèle proposé !

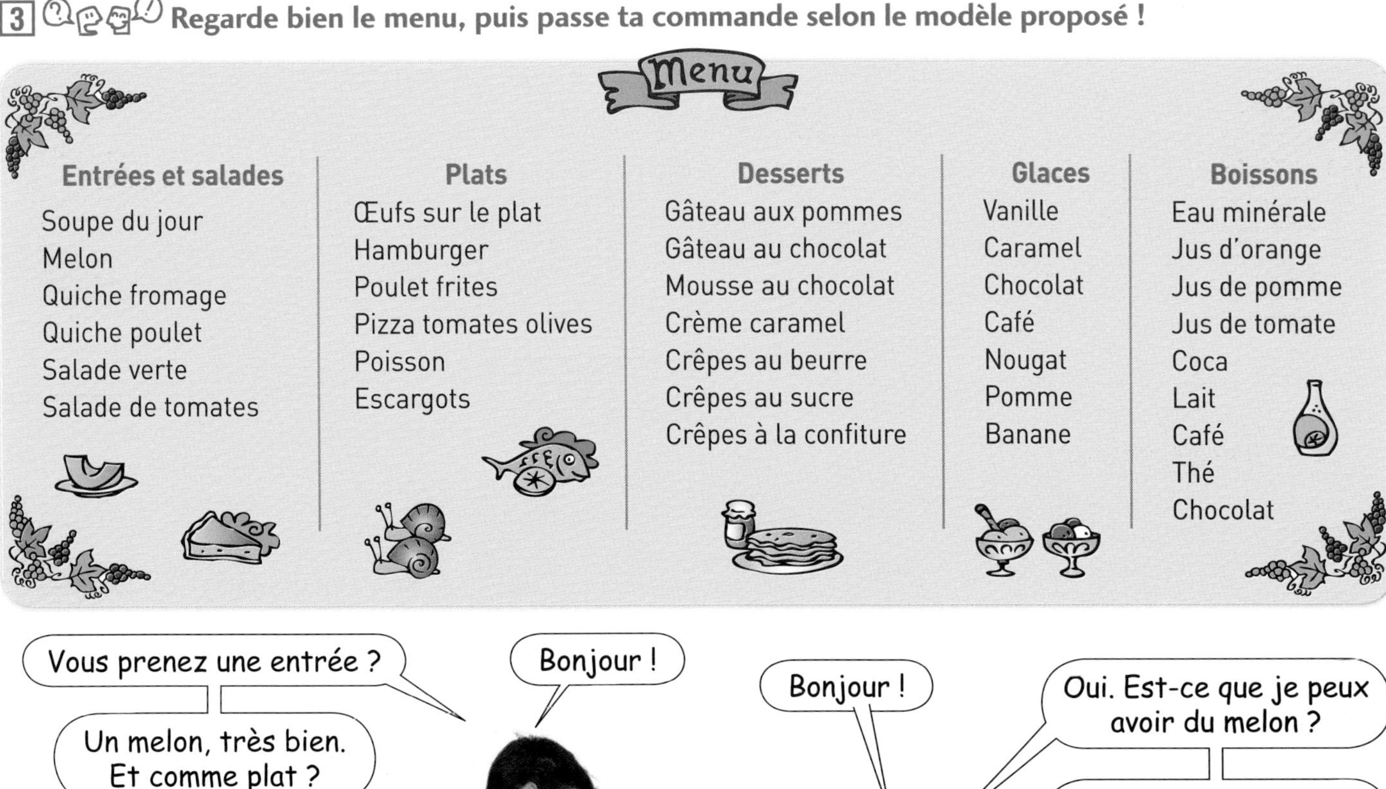
Menu

Entrées et salades	Plats	Desserts	Glaces	Boissons
Soupe du jour	Œufs sur le plat	Gâteau aux pommes	Vanille	Eau minérale
Melon	Hamburger	Gâteau au chocolat	Caramel	Jus d'orange
Quiche fromage	Poulet frites	Mousse au chocolat	Chocolat	Jus de pomme
Quiche poulet	Pizza tomates olives	Crème caramel	Café	Jus de tomate
Salade verte	Poisson	Crêpes au beurre	Nougat	Coca
Salade de tomates	Escargots	Crêpes au sucre	Pomme	Lait
		Crêpes à la confiture	Banane	Café
				Thé
				Chocolat

4 Les sons [ɔ], [œ] et [ø] → Répète ! Puis chante le rap !

Ma sœur a une robe orange, les cheveux et les yeux tout bleus !

Les Trois Mousquetaires

Écoute et regarde la BD de Max ! Puis mets en scène l'épisode avec tes camarades !

1. Un bastion : *construction qui dépasse une fortification.* – 2. Un pari : *jeu dans lequel on s'engage à donner quelque chose à la personne qui a raison, qui gagne.* – 3. Pari tenu : *pari accepté.* – 4. Assassiner : *tuer.*

Consignes de classe

Corrige ! *Échange !* *Passe ta commande !* *Utilise les informations !*

Communication

Tu sais maintenant…

- **parler de tes repas :**

Il y a le petit déjeuner, le déjeuner, le goûter, le dîner.
Le déjeuner est entre midi et midi et demie.
Je ne bois rien, pas de café au lait, pas de thé.
Je prends un peu de beurre et beaucoup de confiture.
Je mange trop de frites et pas assez de salade.
C'est (très) bon. C'est (très) mauvais.
Quelle horreur !

- **passer une commande au restaurant :**

Est-ce que je peux avoir du melon ?
Je voudrais un jus de pomme, s'il vous plaît.

- **dire l'heure** (suite) **:**

Il est dix heures et quart.
Il est deux heures et demie.
Il est quatre heures moins le quart.
Il est neuf heures moins vingt-cinq.

- **inviter quelqu'un, lui proposer quelque chose :**

Tu viens à la piscine ? D'accord, je viens.

Vocabulaire

Heures, moments de la journée et repas

la demie
le quart (et quart)
moins le quart
l'après-midi (U 6)
le déjeuner (U 6)
le dîner (U 3)
le goûter
le matin (U 6)
le midi (U 6)
le petit déjeuner (U 6)
le repas
le soir

Nourriture… (aliments et boissons)

le beurre
le bol
le café
le café au lait
les céréales
la confiture
le croissant (U 3)
le lait
l'œuf *(m.)* [lœf]
au pl. : les œufs [lezø]
l'orange *(f.)*
le pain au chocolat
le sucre
la tartine (de pain)
le thé
la vanille
le yaourt

Verbes

écrire
il faut
prendre (U 1)
venir

Adjectif, adverbes et interjections

Attention !
beaucoup (de)
bon
Hourrah !
mauvais
ne … rien
(un) peu (de)

Certains mots, introduits dans les consignes, les textes ou la BD, n'ont pas été l'objet d'un entraînement systématique et n'apparaissent pas ici. Ils sont toutefois indiqués en italique quand ils seront ou pourront être réutilisés plus tard.

Grammaire

Le verbe *venir*

je vien**s**, tu vien**s**, il / elle / on vien**t**, nous ven**ons**, vous ven**ez**, ils / elles vienn**ent**

La négation *ne … rien*

Je **ne** mange **rien**.

L'adverbe *beaucoup*

Je mange beaucoup.
Je mange beaucoup **de** pain.

L'adverbe *(un) peu*

Je mange peu.
Il y a peu **de** vitamines.
Je mange **un** peu **de** fromage.

La quantité (systématisation)

– *Pour exprimer une quantité non définie* → **du, de la, de l', des**
Je prends du café. Tu bois de l'eau. Elle mange **des** croissants.
– *Pour donner un ordre de grandeur* → **de, d'** avec **pas, (un) peu, beaucoup, assez, trop**
pas de, d' : Tu *ne* prends *pas* **de** café. Je *ne* bois *pas* **d'**eau.
peu / un peu de, d' : Je mange *peu* **de** sucre. Elle boit *un peu* **d'**eau.
(pas) beaucoup de, d' : Je bois *beaucoup* de café. Tu bois *beaucoup* **d'**eau.
(pas) assez de, d' : Elle boit *assez* **de** café. Il ne boit pas *assez* **d'**eau.
(pas) trop de, d' : Je bois *trop* **de** café. Attention, tu bois *trop* **d'**eau !

bien ≠ mal

Tu vas bien ? Non, je vais mal !

bon ≠ mauvais

Mm... c'est bon ! Beurk, c'est mauvais !

Phonétique

Les sons [ɔ], [œ] et [ø] : bol, beurre, bleu...

Stratégies

Pour mieux t'entraîner à l'orthographe...

■ Repère les formes graphiques fréquentes en français comme « ch », « oi », « eau », « ain », etc.
■ Écris des listes de mots qui comportent la même forme graphique afin de mieux les mémoriser.
Exemple : p***ain***, m***ain***, dem***ain***, m***ain***tenant, chât***ain***, etc.

Culture et civilisation

Cafés et restaurants célèbres

Un café

Un restaurant

Un salon de thé

Une crêperie

La météo

1 Écoute et regarde bien ! Puis dis le temps qu'il fait !

Image 1

Léa : Voilà, notre livre est presque fini.

Max : Avec nos dessins, nos photos, notre musique ?

Léa : Oui, avec vos dessins, vos photos, votre musique et mes idées...

Image 2

Théo : Et comment va s'appeler notre livre ?

Léa : « Amis et compagnie ».

Image 3

Max : Ça, c'est un titre génial !

Agathe : Et quand est-ce qu'on va le publier ?

Image 4

Léa : On va le porter... demain chez le directeur de la maison d'édition.

Image 5

Théo : Mais on va d'abord changer la fin de l'histoire des *Trois Mousquetaires* !

Agathe : Oui, leur histoire est trop triste.

Léa : D'accord ! Nous allons y mettre un peu de joie, un peu de soleil !

Max : Tiens ? Il ne pleut plus...

Image 6

Théo, Agathe, Léa, Max : Le soleil vient après la pluie et tout nous sourit !

2 Écoute, répète et note les lettres dans l'ordre !

A

Il y a du vent.

B

Il y a des nuages.

C

Il y a de l'orage.

D
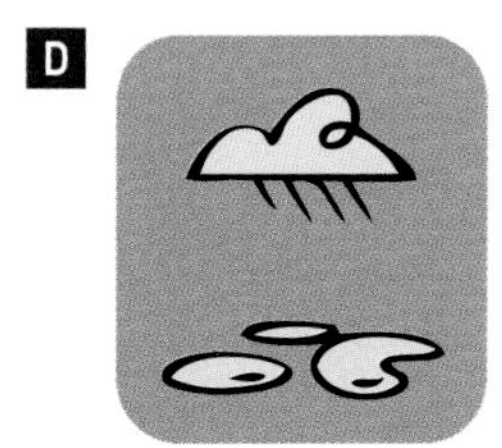
Il pleut.

E

Il neige.

F

Le soleil brille.

3 Écoute et répète (à voix basse ou dans ta tête) !

Il fait beau. Il fait mauvais. Il fait froid. Il fait chaud. Il fait lourd.

4 Écoute et réponds : Quel temps fait-il ?

1 Il fait beau ou il fait mauvais ? **2** Il y a du vent ou il pleut ? **3** Il y a de l'orage ou il y a du soleil ? **4** Il fait chaud ou il fait froid ? **5** Il y a des nuages ou le soleil brille ? **6** Il fait lourd ou il neige ?

5 Observe bien, puis présente la météo à ton voisin ou ta voisine !

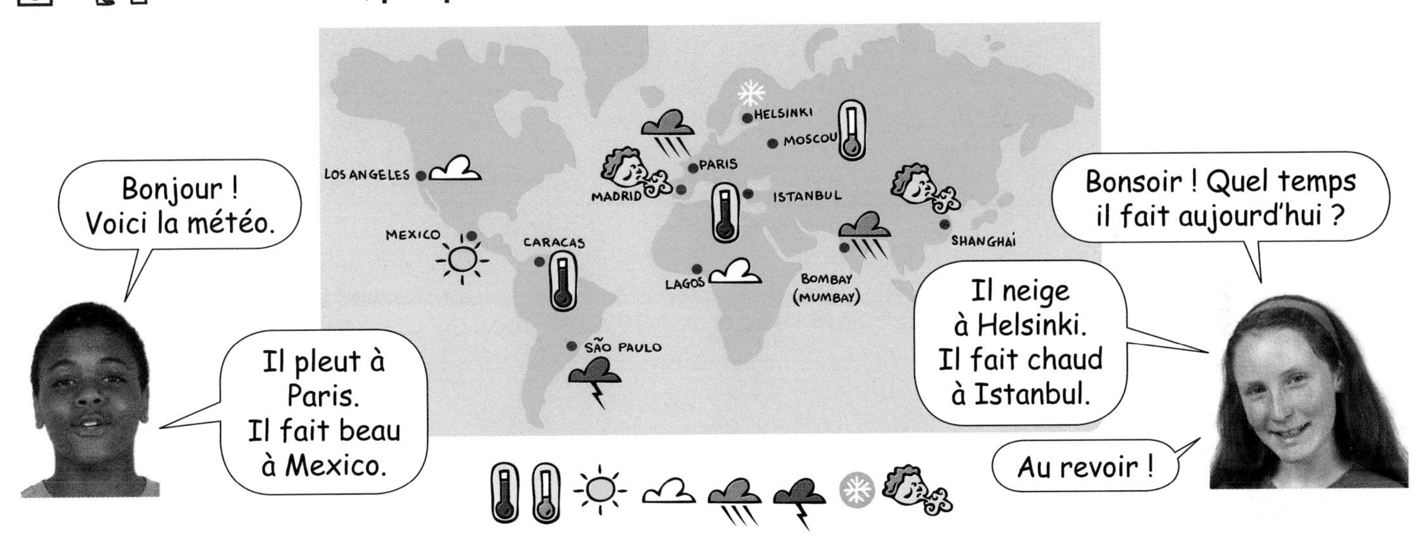

6 Écoute et entraîne-toi à prononcer le son [j] de *brille* ! Puis chante le rap !

Les filles à la vanille brillent comme un soleil !

7 Écoute et chante la chanson de Théo !

Il fait froid, t'en fais pas,
Bientôt... il va faire chaud !
'fait mauvais, mais après...
Il va faire beau !

Après les nuages,
Après le vent,
Après l'orage,
Vient le beau temps :
« Le soleil vient après la pluie »
Et tout nous sourit !

1 Transforme au futur proche !

Exemples : Le soleil brille. Le soleil **va** briller. – Il fait beau. Il **va** faire beau. **À toi !**

1 Il fait mauvais. **2** Il pleut. **3** Il fait chaud. **4** Il y a de l'orage. **5** Il fait froid. **6** Il neige.
7 Il fait du soleil. **8** Il y a du vent. **9** Il fait lourd. **10** Il y a des nuages.

Il fait... → faire
Il pleut. → pleuvoir
Il y a... → avoir
Il neige. → neiger

2 Regarde et continue à donner les prévisions météo !

3 Quel temps fait-il chez toi aujourd'hui ? Et quel temps va-t-il faire demain ? Explique !

→ Aujourd'hui, il ... . Et demain, il va ... .

4 Trouve les bonnes réponses ! Puis écoute le CD pour vérifier !

Il va pleuvoir.	Je vais faire du ski !
Il va faire chaud.	Je vais rester à la maison et regarder la télé !
Il va y avoir de l'orage.	Je vais mettre mon pull et mon blouson !
Il va y avoir du vent.	Je vais manger une glace !
Il va faire froid.	Je vais me mettre dans le jardin ou faire du vélo !
Il va neiger.	J'adore ! Je vais faire des photos !
Il va faire beau.	Je vais faire du surf !

Météo et locutions...

Voici des expressions typiques de la langue française ou « locutions ». Par exemple, quand il pleut très fort, on peut employer en français une expression imagée : « Il pleut des cordes ! » En anglais on dit : « Il pleut des chats et des chiens ! »

1 Regarde les locutions. Tu les comprends ? Recopie les phrases et numérote-les d'après les images !

1 Il pleut des cordes.

2 Il fait un froid de canard.

3 Il fait un temps de chien.

4 Cela me fait froid dans le dos.

5 J'arrive en coup de vent.

6 Je suis sur un petit nuage.

7 Il y a de l'orage dans l'air.

8 Cela ne me fait ni chaud, ni froid.

9 Après la pluie, le beau temps !

[1] Il pleut très fort. [ ] Le temps est très mauvais. [ ] Cela me fait peur. [ ] Il fait un grand froid. [ ] Je suis très satisfait. [ ] Cela m'est égal. [ ] J'arrive très vite. [ ] On est fâchés. [ ] Après la tristesse vient la joie !

D'autres locutions...

10 Il a un chat dans la gorge.

11 Il est haut comme trois pommes.

12 Il prend ses jambes à son cou.

[ ] Il n'est pas grand. [ ] Il se dépêche. [ ] Il a mal à la gorge.

2 Ces phrases te font rire ? ... Est-ce qu'il y a dans ta langue des locutions pour dire la même chose ou à peu près ? ...

3 Regarde maintenant dans un dictionnaire de français et trouve d'autres locutions ou proverbes ! Recopie et illustre-les !

- Avec des noms de parties du corps, par exemple : *tête, cheveu(x), pieds.*
- Avec des noms d'animaux, par exemple : *chat, poisson, souris.*
- Avec des noms d'aliments, par exemple : *chocolat, fromage, gâteau.*

Etc.

Les Trois Mousquetaires

Écoute et regarde la BD de Max ! Décris la météo au fur et à mesure de l'épisode !

De retour à Paris...
Constance ? Bonjour, je suis une amie de d'Artagnan.
Entrez !
12
Où est d'Artagnan ?
Il est à La Rochelle...
Mon Dieu, il est mort ?
13
Tenez, buvez, cela va vous faire du bien !
14
Non, arrêtez ! C'est trop triste !
15
D'Artagnan ?!
Constance !
16
Bououh ! Personne ne m'aime ! Je suis trop malheureuse...
17
Oh, Milady, vous arrêtez maintenant, hein ?
18
Regardez : Buckingham et moi, nous sommes amis !
19
Je suis Alexandre Dumas ! Qu'est-ce qui se passe ici ? Et mon histoire ?
20
Votre histoire est trop triste, voilà... On va tout changer !
Et on va faire la fête !
21
Le soleil vient après la pluie et tout nous sourit !
22

Consignes de classe

Présente la météo ! *Regarde dans un dictionnaire !* *Transforme (au futur proche) !* *Trouve d'autres locutions !*

Communication

Tu sais maintenant...

■ **parler du temps qu'il fait :**
Quel temps il fait ? Il fait quel temps ? Quel temps fait-il ?
Il fait beau. Il fait beau temps.
Il fait mauvais. Il fait mauvais temps.
Il fait froid. Il fait chaud.
Il pleut. Il y a du vent.
Après la pluie, le beau temps !

■ **saluer :**
Bonsoir !

■ **parler d'une action dans un futur proche :**
Quel temps il va faire demain ? Il va faire quel temps demain ?
Quel temps va-t-il faire demain ?
Demain, il va neiger.
Je vais rester à la maison.
Je vais faire des photos.
On va faire la fête.

■ **exprimer ta surprise :**
Tiens ?

Vocabulaire

La météo

la neige
le nuage
l'orage *(m.)*
la pluie
le soleil
le vent
Il fait beau.
Il fait mauvais.
Il fait froid.
Il fait chaud.
Il fait lourd.
Il neige.
Il pleut.
Il y a du soleil =
Il fait (du) soleil.
Il y a du vent =
Il fait du vent.
Il y a de l'orage =
Il fait de l'orage.
Le soleil brille.

la fin
l'histoire (f.)
la joie
le titre

Verbes

briller
neiger
pleuvoir
changer
sourire

Adverbes et interjections

aujourd'hui (U 6)
Bonsoir !
demain
presque
Tiens ?

Certains mots, introduits dans les consignes, la chanson ou la BD, n'ont pas été l'objet d'un entraînement systématique et n'apparaissent pas ici. Ils sont toutefois indiqués en italique quand ils seront ou pourront être réutilisés plus tard.

Grammaire

Les adjectifs possessifs (suite)

	Adjectifs poss. 1re pers. pluriel	Adjectifs poss. 2e pers. pluriel	Adjectifs poss. 3e pers. pluriel
masc. et fém.	notre	votre	leur
pluriel	nos	vos	leurs

Le futur proche

= ***aller** au présent* + ***infinitif***

Comment va s'appeler le livre ?

Il va pleuvoir.

Je vais manger une glace.

Les verbes impersonnels

Il neige. Il pleut.

Il fait beau. Il fait mauvais. Il fait froid.

Il y a du soleil. Il va faire de l'orage.

La négation *ne ... plus*

Il ne pleut plus.

Les pronoms et adverbes interrogatifs *Qui ? Quoi ? Comment ? Quand ? Où ?* (Révision)

Qui êtes-vous ?

Qu'est-ce qui se passe ?

Comment va s'appeler notre livre ?

Quand est-ce qu'on va publier le livre ?

Où est d'Artagnan ?

Phonétique

Le son [j] : fille, soleil, brille...

Stratégies

Pour mieux apprendre...

Fais le point sur tes connaissances et tes compétences en jouant régulièrement, avec un (ou plusieurs) camarade(s), des situations ou des saynètes, comme par exemple « demander son chemin dans la ville », « commander un repas au restaurant », « aller chez le dentiste », « parler du temps qu'il fait », etc.

Culture et civilisation

Quel temps fait-il à Paris ?

Paris sous la pluie

Paris sous la neige

Paris sous l'orage

Paris sous le soleil

On révise et on s'entraîne pour le DELF A1 !

Document à photocopier !

Nom : .... Prénom : ....

Compréhension de l'oral (10 points)

1 Écoute et coche la bonne réponse ! Lis d'abord les phrases. Tu as deux écoutes !

1 Lucas
- ☐ a chaud.
- ☐ a mal à la tête.
- ☐ a mal au dos.

2 Il est fâché :
- ☐ Il va au collège à pied et son sac est trop lourd.
- ☐ Il va au collège à pied et il fait trop chaud.
- ☐ Il va au collège en taxi et il déteste le taxi.

2 Écoute et numérote les situations ! Regarde d'abord les images ! Tu as deux écoutes !

Image A	Image B	Image C
Situation n° ...	Situation n° ...	Situation n° ...

Compréhension des écrits (10 points)

1 Lis le blog de Louise. Puis coche les bonnes réponses !

Je m'appelle Louise... et j'adore les nuages et les orages. Oui, mais je préfère regarder les orages... à la maison ! Je n'aime pas la neige, je n'aime pas avoir froid au nez, je n'aime pas avoir froid aux pieds ! Mais je déteste aussi avoir trop chaud...
Et puis, je n'aime pas être triste, je n'aime pas être fatiguée, je n'aime pas être stressée. Alors, j'aime bien rêver, j'aime être dans les nuages... Dans les nuages orange, bleus et noirs d'un bel orage... Vous aimez ma photo ?

[Ajouter un commentaire] [9 commentaires]

Posté le vendredi 02 juin 2008 à 18:05 — Modifié le 02 juin 2008 à 18:20

- ☐ Louise n'aime pas rêver.
- ☐ Elle a un peu peur des orages.
- ☐ Elle fait des photos.
- ☐ Elle aime marcher dans la neige et le froid.
- ☐ Elle regarde la météo à la télévision.
- ☐ Elle adore les nuages.

2 Lis les phrases et écris le nom des villes dans le tableau d'affichage des vols !

	Vols pour
8:35	Paris
8:45	....
9:20	....
9:30	....
9:50	....

	Vols pour
9:55	....
10:05	....
10:15	....
10:35	....
10:40	....

1 Le vol pour Paris est à neuf heures moins vingt-cinq.
2 Le vol pour Mexico est à dix heures et quart.
3 Le vol pour Helsinki est à neuf heures vingt.
4 Le vol pour Madrid est à dix heures moins dix.
5 Le vol pour Los Angeles est à onze heures moins vingt-cinq.
6 Le vol pour Moscou est à dix heures cinq.
7 Le vol pour Caracas est à onze heures moins vingt.
8 Le vol pour Istanbul est à neuf heures moins le quart.
9 Le vol pour Shanghai est à dix heures moins cinq.
10 Le vol pour Lagos est à neuf heures et demie.

Production écrite (10 points)

Sur ton blog, tu décris tes repas, à quelle heure tu les prends et ce que tu manges. (50-60 mots)

Le matin, à ... heures, je prends ...

Production et interaction orales (10 points)

Présente tout ce que tu vas faire la semaine prochaine !

Qu'est-ce que tu vas faire lundi ? mardi ? etc.
Quel va être ton emploi du temps ?
Tu vas travailler ? Tu vas aller au cinéma ?
Tu vas faire du sport ? Tu vas rester à la maison ?
Tu vas voir tes amis ? ta famille ?
Tu vas faire une fête ?

Il va faire quel temps, la semaine prochaine, tu le sais ?

Communication

■ Saluer, prendre congé, s'excuser :

Salut ! Bonjour ! Bonjour, monsieur !
Bonjour, madame ! Bonsoir ! Ça va ? Oui, non. Merci.
Ça va. Ça ne va pas. Ça va mal.
Au revoir ! Pardon !

■ Se présenter :

Tu t'appelles comment ? Tu es qui ?
Je m'appelle ... Je suis... Moi, c'est...
Tu as quel âge ?
J'ai 14 (quatorze) ans.
Ton anniversaire, c'est quand ?
Mon anniversaire, c'est le...
Bon (joyeux) anniversaire !

■ Présenter ses amis, sa famille, ses animaux :

Voici Max. C'est mon ami.
Tu as un frère ? une sœur ?
J'ai un frère. Je n'ai pas de sœur.
Mon père s'appelle Antoine.
Voilà ma mère.
Tu as un chat ? un hamster ?
J'ai un lapin. Je n'ai pas de tortue.

■ Exprimer ses goûts :

Qu'est-ce que tu aimes ?
J'aime le chocolat.
Tu aimes la soupe ?
Je n'aime pas la soupe.
Qu'est-ce que tu détestes (adores) ?
Je déteste la salade.
J'adore le camembert.
Qu'est-ce que tu détestes (aimes, adores) faire ?
Je déteste dessiner.
J'aime faire la cuisine.
J'adore écouter de la musique.
(C'est) nul, pas mal, (très) bien, super, génial.
C'est (très) bon. C'est (très) mauvais.
Bravo ! Ah ! Oh !
Bof ! Beurk ! Quelle horreur !

■ Identifier quelque chose ou quelqu'un :

C'est quoi ? Qu'est-ce que c'est ? C'est qui ?
C'est mon sac. C'est lui. C'est toi. C'est moi.
Il y a des frites ?
Il y a du fromage, de la pizza...

■ Parler de ses activités et de ses passe-temps :

Qu'est-ce que tu fais ?
Je travaille.
Je regarde la télé(vision).
Je joue aux cartes.
Je fais du vélo.
Je fais du roller.
Je joue au ping-pong, etc.

■ Parler de son emploi du temps :

On est (nous sommes) quel jour ?
On est (nous sommes) mardi.
Aujourd'hui... Le matin... L'après-midi...
Je me lève, je me lave, je me brosse les dents.
Le lundi matin, j'ai français et maths.
Le jeudi, je fais du jogging.
Ma matière préférée, c'est le sport.

■ Se décrire et décrire quelqu'un :

Tu as les yeux (les cheveux) de quelle couleur ?
Mes yeux sont marron. J'ai les cheveux blonds.
Elle est petite. Elle a les cheveux mi-longs.
Qu'est-ce que tu portes ?
Je porte un tee-shirt bleu et un blouson beige.
Ma couleur préférée, c'est le vert.
Tu te déguises en quoi ? Je me déguise en fée.

■ Exprimer son accord ou son désaccord :

Oui. C'est ça. Ça va. Bon. Bien. D'accord. Je veux bien.
Bien sûr !
Non. Ah, (ça) non ! Je ne veux pas... Non, merci. Chut !
Ah si !

■ Exprimer sa surprise :

Ah bon ? Ah oui ? Ça alors ! Comment ? Tiens ?

■ Dire qu'on sait ou qu'on ne sait pas :

Je sais. Je ne sais pas.

■ Chercher un mot, hésiter :

Euh...

■ Exprimer une possibilité, une permission :

Je peux entrer ? On peut visiter.

■ Dire où on habite, localiser :

Tu habites où ? Où est-ce que tu habites ?
J'habite à Paris, 20 avenue des Champs-Élysées.
Tu habites dans une maison ?
J'habite dans un petit appartement.
C'est ici. C'est à côté du cinéma.

■ Demander, indiquer une direction :

Je voudrais aller à... Où est... ?
Va tout droit ! Traverse la rue ! Tu y es.
Prenez à droite ! Tournez à gauche !
Vous y êtes.

■ Demander et dire l'heure :

Il est quelle heure ? Quelle heure est-il ?
Il est huit heures.
À quelle heure tu te lèves ?
Je me lève à sept heures.
Il est dix heures et quart.
Il est deux heures et demie.
Il est quatre heures moins le quart.
Il est neuf heures moins vingt-cinq.

■ Parler de ses repas :

Il y a le petit déjeuner, le déjeuner, le goûter...
Le déjeuner est entre midi et midi et demie.
Je ne bois rien, pas de café au lait, pas de thé.
Je prends un peu de lait et beaucoup de sucre.
Je mange trop de frites et pas assez de salade.

■ Passer une commande au restaurant :

Est-ce que je peux avoir du melon ?
Je voudrais un jus de pomme, s'il vous plaît.

■ Parler du moment d'une action :

C'est quand le carnaval ?
En février ou en mars.

■ Parler du destinataire, du but d'une action :

C'est pour qui ?
C'est pour le pirate. C'est pour lui.
C'est pour quoi faire ?
C'est pour faire des photos.

■ Demander à quelqu'un de faire quelque chose :

Lève-toi ! Dépêche-toi ! Habille-toi !
Tourne la tête ! Lève les bras !
Tournez la tête ! Levez les bras !
Tu veux... ? Je veux...
Tu viens ? D'accord, je viens.
S'il te plaît, s'il vous plaît.
Aide-moi ! Aidez-moi ! Au secours !

■ Exprimer une obligation :

Je dois partir.

■ Dire comment on se sent :

Comment ça va ? Qu'est-ce que tu as ?
Je vais bien. Je vais mal. Ça ne va pas.
Je suis triste. Je suis fâché(e).
Je suis stressé(e). J'ai peur.
Je suis fatigué(e). Je suis malade.
J'ai froid. J'ai chaud.
J'ai faim. J'ai soif.
J'ai sommeil. J'ai mal à la tête.
J'ai mal à la gorge. J'ai mal au dos, etc.
Aïe ! Ouille ! Oh là là !

■ Parler du temps qu'il fait :

Quel temps il fait ? Quel temps fait-il ?
Il fait beau. Il fait beau temps.
Il fait mauvais. Il fait mauvais temps.
Il fait froid. Il fait chaud.
Il pleut. Il y a du vent.
Après la pluie, le beau temps !

■ Parler d'une action dans un futur proche :

Quel temps il va faire demain ? Quel temps va-t-il faire demain ?
Demain, il va neiger.
Je vais faire des photos.
On va faire la fête.

Phonétique

Le rythme et l'accentuation

En français, il y a un « accent de durée » porté par la dernière syllabe prononcée d'un groupe de mots (ou groupe rythmique). Les autres syllabes du groupe sont inaccentuées, régulières et continues.

*Sa '**lut** ! Mon anniver '**saire**, c'est le dix oc '**tobre**.*

*Je voudrais dor '**mir**, rê '**ver**, ne pas cou '**rir**...*

Le « e muet »

On ne prononce pas le « e » final des mots : *C'est mon père. Il s'appelle Antoine.*

On ne prononce pas les terminaisons des verbes **-e**, **-es**, **-ent** : *Je joue, tu chantes, ils dansent.*

Mais on prononce le « e » dans les mots à une syllabe : ***je***, ***le***, ***me***. Il se note [ə].

[ə] note également, dans les mots à plusieurs syllabes, le « e » inaccentué (*demain*) ou caduque (*petit*).

En général on ne prononce pas les consonnes finales : *Le monstre a deux bras et trois nez.*

Mais on prononce le « l » et le « r » et le « c » : *C'est un acteu**r** espagno**l** ou gre**c** ?*

On prononce la consonne finale dans les mots ***cinq***, ***six***, ***sept***, ***huit***, ***neuf***, ***dix***, mais pas si ***cinq***, ***six***, ***huit*** et ***dix*** sont devant un mot commençant par une consonne !

La liaison

Quand un mot commence par une voyelle ***a***, ***e***, ***i***, ***o***, ***u***, ***y*** ou un ***h*** muet, on unit la consonne finale du mot précédent (déterminant, adjectif, préposition, pronom personnel, verbe, etc.) à la voyelle ou au *h* :

un‿ami – une‿histoire – des‿idées – mes‿affaires – en‿espagnol – deux‿autos – huit‿escargots

n n z z n z t

Il n'y a pas de liaison après le mot **et** : *Et / alors ?*

Les sons

Il est utile de s'entraîner à bien distinguer la prononciation des **consonnes** :

[b] (*bien*) et **[v]** (*viens*),
[b] (*bon*) et **[p]** (*pont*),
[s] (*poisson*) et **[z]** (*poison*),
[ʀ] (*rêve*) et **[l]** (*lève*),
[ʃ] (*chaud*) et **[ʒ]** (*jaune*),
[f] (*froid*) et **[v]** (*voilà*)...

Il faut également s'entraîner à bien distinguer la prononciation des **voyelles** :

[ɔ] (*bol*), **[œ]** (*beurre*) et **[ø]** (*bleu*),
ou celle des nasales **[ɑ̃]** (*banc*), **[ɔ̃]** (*bon*), **[œ̃]** (*un*) et **[ɛ̃]** (*bain*),

...ou à bien prononcer les **semi-voyelles** :

[j] (*fille*), **[w]** (*oui*) et **[ɥ]** (*lui*), etc.

L'écriture des sons (voyelles, semi-voyelles et consonnes) sera systématisée dans les niveaux suivants.

Le groupe nominal

1 Le genre

En français, les noms sont tous masculins ou féminins :
un feutre : masculin
une trousse : féminin
Comment savoir si un nom est masculin ou féminin ?
Avec les personnes, c'est facile :
le frère → masculin - *la sœur* → féminin
Mais pour le reste... il faut apprendre le genre en même temps qu'on apprend le nom !

2 Singulier et pluriel

Le nom est singulier s'il se rapporte à une personne, un animal ou un objet et il est pluriel s'il se rapporte à plusieurs :
le chien – singulier → *les chiens* – pluriel

On ajoute à la plupart des noms un **s** au pluriel : *une règle* → *deux règle**s***
Certains noms ont une terminaison différente : *un animal* → *des anima**ux*** - *un gâteau* → *des gâteau**x***

Les noms qui se terminent déjà par **s**, ou par **x** et **z** ne prennent pas de marque du pluriel :
une souris → *des souris* - *un bras* → *deux bras* - *un roux* → *des roux* - *un nez* → *trois nez*

3 Les articles

En français, les noms sont presque toujours précédés d'un article indéfini, défini ou partitif :

L'article indéfini
Il accompagne le nom de quelqu'un ou de quelque chose qu'on ne connaît pas ou dont on n'a pas encore parlé et pour indiquer la quantité « 1 ».
masculin : ***un** rap* — féminin : ***une** invitation* — pluriel : ***des** dessins*

L'article défini
Il accompagne le nom de quelqu'un ou de quelque chose qu'on connaît déjà ou dont on a déjà parlé et pour exprimer une généralité.
masculin : ***le** rap de Théo* — féminin : ***l'**invitation de Léa* — pluriel : ***les** dessins de Max*

Devant une voyelle ***a***, ***e***, ***i***, ***o***, ***u***, ***y*** ou un ***h*** muet, il y a une sorte de « liaison » entre l'article et le nom :
Avec **l'article indéfini**, elle se marque à l'oral : *un‿ami* (n) — *une‿idée* (n) — *des‿heures* (z)

Avec **l'article défini**, elle se marque à l'oral, et à l'écrit à travers « l'apostrophe » :
l'ami — *l'idée* — *les‿heures* (z)

L'article défini se combine avec les prépositions **à** et ***de*** pour donner une forme « contractée ».

masculin :	***au*** *(= à le)*	***du*** *(= de le)*
féminin :	*à la*	*de la*
pluriel :	***aux*** *(= à les)*	***des*** *(= de les)*

L'article partitif

La série ***du***, ***de la*** (préposition ***de*** + article défini) est utilisée pour parler d'une quantité qu'on ne peut pas compter ou de la partie d'un ensemble.
Tu veux ***du*** *poulet ? Je veux* ***de la*** *quiche. Moi, je veux* ***de l'****eau. Il boit beaucoup* ***de*** *jus d'orange.*

Du, ***de la*** et ***des*** deviennent ***de*** ou ***d'*** dans une phrase négative et après les adverbes *assez*, *beaucoup* et *trop*.
Je veux du lait → Je ne veux pas ***de*** *lait. Il a des amis → Il n'a pas* ***d'****amis. Tu bois du coca → Tu bois trop* ***de*** *coca.*

4 Les adjectifs possessifs

L'adjectif possessif s'accorde avec le nom qu'il accompagne et non avec le « possesseur » :
Il adore ***sa*** *chambre.* (*chambre* est féminin) *Elle adore* ***son*** *chat.* (*chat* est masculin)

Possesseur	Nom « possédé »		
	Singulier		Pluriel
	masculin	féminin	masculin et féminin
Singulier	***mon***	***ma***	***mes***
	mon	***ta***	***tes***
	ton	***sa***	***ses***
Pluriel	***notre***		***nos***
	votre		***vos***
	leur		***leurs***

Devant un mot féminin commençant par une **voyelle** ou un ***h*** muet, on utilise ***mon***, ***ton***, ***son*** : *C'est l'histoire de Léa ? Oui, c'est son histoire.*

5 Les adjectifs qualificatifs

L'adjectif s'accorde avec le nom ou le pronom auquel il se rapporte.

On ajoute ***e*** au féminin et ***s*** au pluriel (féminin pluriel ***es***).
*Le chapeau est bleu, la casquette est vert****e*** *et les chaussures sont noir****es****.*

Mais certains adjectifs sont invariables : *marron*, *orange*, etc.
Le manteau et les bottes sont marron.

Les adjectifs se terminant par un -e ne changent pas au féminin et ceux terminés par -s ou -x ne changent pas au masculin pluriel.
Il est malade → Elle est malade. Il est gros → Ils sont gros.

Quelques adjectifs changent de forme au féminin : *blanc → blan****che****, roux → rou****sse****, beau → be****lle***

La plupart des adjectifs épithètes sont placés APRÈS le nom qu'ils qualifient :
un chat noir – une perruche bleue – des cheveux longs – la jupe courte – une musique géniale – ma matière préférée

Mais quelques adjectifs, comme ***grand***, ***petit***, ***bon***, ***mauvais***, ***beau***, ***joli***, ***nouveau***, ***vieux***, ***jeune*** se placent AVANT le nom :
un petit monstre – une grande sorcière – un bon repas – le mauvais temps

Le groupe verbal

1 L'infinitif

Il se termine la plupart du temps par ***-er*** (*aimer, danser*), ***-ir*** (*courir, dormir*) ou ***-re*** (*boire, prendre*). Les verbes en ***-er*** sont les plus fréquents. On les appelle aussi verbes du 1er groupe.

2 Les pronoms personnels sujets

Ils remplacent un nom ou un groupe nominal. Leur emploi est nécessaire. Si on veut insister sur la personne dont on parle, on les introduit par des pronoms toniques ou accentués (*moi*, *toi*, *lui*, etc.).

Singulier	
1re personne	***je*** (***j'*** devant une voyelle ***a***, ***e***, ***i***, ***o***, ***u***, ***y*** ou un ***h*** muet)
2e personne	***tu*** (pour s'adresser à un ami, à quelqu'un qu'on connaît bien, à un enfant, etc.)
3e personne	***il*** (masculin) ***elle*** (féminin) ***on*** (toi et moi, moi et vous, des gens, tout le monde...)
Pluriel	
1re personne	***nous*** (toi et moi, moi et vous)
2e personne	***vous*** (pour s'adresser à plusieurs personnes qu'on connaît bien, mais aussi à quelqu'un qu'on ne connaît pas, à un adulte... = vous de politesse)
3e personne	***ils*** (masculin) ***elles*** (féminin)

3 Le présent

Il exprime ce qui se passe maintenant, mais aussi des événements habituels ou ce qui est toujours vrai, une morale, un proverbe : *Je vais au cinéma. Le matin, au petit déjeuner, je bois du thé. Le soleil vient après la pluie.*

Terminaisons des verbes en *–er*

Singulier				**Pluriel**			
1re personne	*je*	...	**-e**	1re personne	*nous*	...	**-ons**
2e personne	*tu*	...	**-es**	2e personne	*vous*	...	**-ez**
3e personne	*il / elle / on*	...	**-e**	3e personne	*ils / elles*	...	**-ent**

Les verbes irréguliers

On les appelle aussi verbes du 3e groupe. Leur conjugaison est particulière (voir plus loin). Les verbes du 2e groupe, réguliers mais assez peu nombreux, se conjuguent comme *finir* ou *choisir*.

Au présent de l'indicatif, on retrouve toujours les terminaisons ***-ons***, ***-ez*** et ***-ent*** au pluriel (sauf *nous sommes*, *vous êtes*, *ils/elles sont*, *ils/elles ont*, *ils/elles vont*, *vous faites*, *ils/elles font* et *vous dites*).

Les verbes pronominaux

Un verbe pronominal est précédé de ***se*** à l'infinitif. Il se conjugue avec les pronoms personnels réfléchis qui se placent AVANT le verbe conjugué.

Singulier				**Pluriel**			
1re personne	*je*	**me**	*lave*	1re personne	*nous*	**nous**	*lavons*
2e personne	*tu*	**te**	*laves*	2e personne	*vous*	**vous**	*lavez*
3e personne	*il / elle / on*	**se**	*lave*	3e personne	*ils / elles*	**se**	*lavent*

4 L'impératif

Il exprime un ordre, une invitation ou un conseil. C'est le verbe conjugué sans sujet. Mais attention ! Il n'y a pas de **s** à la deuxième personne du singulier des verbes en ***–er*** !

Singulier (*tu*) : ***Joue !*** Pluriel (*nous*) : ***Jouons !*** Pluriel et politesse (*vous*) : ***Jouez !***

Impératif des verbes pronominaux : *Lève-**toi** ! Levons-**nous** ! Levez-**vous** !*

5 Le futur proche

Il exprime une action qui va se dérouler dans un avenir proche. On utilise le verbe ***aller*** au présent suivi de l'infinitif :
*Je prends mes bottes → Je **vais** prendre mes bottes.*

6 Les verbes suivis d'un infinitif

Des verbes comme ***adorer***, ***aimer***, ***détester***, ***préférer***, ***vouloir***, ***devoir***, ***pouvoir***, ***savoir*** peuvent être suivi d'un « infinitif complément » :
J'adore surfer sur Internet. Il sait faire la cuisine.

La phrase

1 La négation

Pour nier une phrase, on utilise une négation « en deux mots » ***ne ... pas*** qui encadre le verbe conjugué (***ne*** devient ***n'*** devant une voyelle ou un *h* muet) : *Je suis français → Je **ne** suis **pas** français. J'aime les maths → Je **n'**aime **pas** les maths.*

Avec les verbes pronominaux, ***ne*** se place avant le pronom personnel réfléchi : *Je me lève à huit heures → Je **ne** me lève **pas** à huit heures.*

Attention à la négation de l'impératif : *Joue ! → **Ne** joue **pas** ! Lève-toi ! → **Ne** te lève **pas** !*

Pour nier ***un***, ***une*** ou ***des*** ou une quantité, on utilise une négation « en trois mots » ***ne ... pas de*** (***ne*** devient ***n'*** devant une voyelle ou un *h* muet) : *J'ai un frère → Je **n'**ai **pas de** frère. Je prends deux glaces → Je **ne** prends **pas de** glace.*

2 L'interrogation

L'interrogation montante

En français, quand on affirme quelque chose, l'intonation a tendance à « descendre » : *Tu vas à Paris.* ↘ Pour poser une question **en situation de communication informelle** (entre jeunes, entre amis, entre connaissances) on donne à la phrase une « intonation montante » : *Tu vas à Paris ?* ↗

Si la question contient un mot interrogatif (***comment ?***, ***combien ?***, ***où ?***, ***quand ?***, etc.), on peut utiliser ce type d'énoncés en plaçant le mot interrogatif au début ou à la fin de la phrase : *Tu vas où ? (Où tu vas ?) Comment tu t'appelles ? (Tu t'appelles comment ?)*

L'interrogation avec *est-ce que* ?

Une autre manière de poser une question à l'oral (ou à l'écrit) est d'ajouter ***est-ce que*** au début de la phrase : *Tu vas à Paris ? → **Est-ce que** tu vas à Paris ?*

Si la question contient un mot interrogatif (***comment ?***, ***où ?*** etc.), on place le mot interrogatif AVANT ***est-ce que*** :
*Où **est-ce que** tu vas ? Comment **est-ce que** tu t'appelles ?*

En situation de communication orale très formelle (ou à l'écrit), on utilise l'interrogation avec inversion du sujet (*Allez-vous à Paris ?*) ou dans certaines questions comme : *Quel temps fait-il ? Qui est-ce ? Où vas-tu ?*

Les interrogations avec *qui ?* et *quoi ?*
L'interrogation avec ***qui*** porte sur quelqu'un. L'interrogation avec ***quoi*** (ou ***qu'*** devant ***est-ce que***) porte sur quelque chose : *C'est qui ? Qui est-ce ? – C'est Agathe. C'est quoi ? Qu'est-ce que c'est ? – C'est une gomme.*

3 Les présentatifs

Voici, ***voilà***, ***c'est***, ***ce sont*** servent à présenter quelqu'un ou à montrer quelque chose : *Voici mon père et voilà ma mère. C'est mon livre.*
Ce sont est utilisé avec le pluriel : *Ce sont mes cahiers.*

4 Il y a

Il y a sert à exprimer la présence ou l'existence de quelqu'un ou de quelque chose. ***Il n'y a pas de*** sert à exprimer l'absence (**de** devient ***d'*** devant une voyelle ou un *h* muet) : *Il y a du coca. Il y a des chips. Il n'y a pas de glace. Il n'y a pas d'eau.*

La localisation

1 Dans l'espace

Prépositions et adverbes : **à** (**au**, **à l'**, **à la**, **aux**), **à côté de**, **avec**, **dans**, **devant**, **derrière**, **à droite de**, **à gauche de**, **entre**, **sur**, **sous** : *Nous allons au supermarché. La maison est à côté de la gare. Le musée est à droite du cinéma. Il habite sous le pont.*

2 Dans le temps

L'indication de l'heure avec **à** : *Je pars à trois heures.*
L'indication de la date : *Nous sommes **le** 18 avril.*
L'indication du mois avec ***en*** : *Je suis né en septembre.*
L'indication de l'année avec ***en*** : *Habiter à Paris en 1630…*

Les connecteurs
et, ou, mais : *J'ai un chat et deux perruches. Tu préfères le poisson ou le poulet ?*
d'abord, puis, ensuite, après : *D'abord je me lève, puis je prends mon petit déjeuner, ensuite je me brosse les dents, après je m'habille.*

Conjugaisons

Le présent de l'indicatif

Verbes en *–er* / Verbes pronominaux

	Verbes en *–er*		Verbes pronominaux	
	aimer	***préférer***	***s'appeler***	***se lever***
singulier	*j'aime*	*je préf**è**re*	*je m'appe**ll**e*	*je me l**è**ve*
	tu aimes	*tu préf**è**re*	*tu t'appe**ll**es*	*tu te l**è**ves*
	il / elle / on aime	*il / elle / on préf**è**re*	*il / elle / on s'appe**ll**e*	*il / elle / on se l**è**ve*
pluriel	*nous aimons*	*nous préférons*	*nous nous appelons*	*nous nous levons*
	vous aimez	*vous préférez*	*vous vous appelez*	*vous vous levez*
	ils / elles aiment	*ils / elles préf**è**rent*	*ils / elles s'appe**ll**ent*	*ils / elles se l**è**vent*

Attention ! *manger → nous mange**o**ns – commencer → nous commen**ç**ons*

Verbes irréguliers

	aller	***avoir***	***boire***	***courir***
singulier	*je vais*	*j'ai*	*je bois*	*je cours*
	tu vas	*tu as*	*tu bois*	*tu cours*
	il / elle / on va	*il / elle / on a*	*il / elle / on boit*	*il / elle / on court*
pluriel	*nous allons*	*nous avons*	*nous buvons*	*nous courons*
	vous allez	*vous avez*	*vous buvez*	*vous courez*
	ils / elles vont	*ils / elles ont*	*ils / elles boivent*	*ils / elles courent*

	devoir	***dormir***	***écrire***	***être***
singulier	*je dois*	*je dors*	*j'écris*	*je suis*
	tu dois	*tu dors*	*tu écris*	*tu es*
	il / elle / on doit	*il / elle / on dort*	*il / elle / on écrit*	*il / elle / on est*
pluriel	*nous devons*	*nous dormons*	*nous écrivons*	*nous sommes*
	vous devez	*vous dormez*	*vous écrivez*	*vous êtes*
	ils / elles doivent	*ils / elles dorment*	*ils / elles écrivent*	*ils / elles sont*

	faire	***lire***	***partir***	***pouvoir***
singulier	*je fais*	*je lis*	*je pars*	*je peux*
	tu fais	*tu lis*	*tu pars*	*tu peux*
	il / elle / on fait	*il / elle / on lit*	*il / elle / on part*	*il / elle / on peut*
pluriel	*nous faisons*	*nous lisons*	*nous partons*	*nous pouvons*
	vous faites	*vous lisez*	*vous partez*	*vous pouvez*
	ils / elles font	*ils / elles lisent*	*ils / elles partent*	*ils / elles peuvent*

	prendre	***savoir***	***venir***	***vouloir***
singulier	*je prends*	*je sais*	*je viens*	*je veux*
	tu prends	*tu sais*	*tu viens*	*tu veux*
	il / elle / on prend	*il / elle / on sait*	*il / elle / on vient*	*il / elle / on veut*
pluriel	*nous prenons*	*nous savons*	*nous venons*	*nous voulons*
	vous prenez	*vous savez*	*vous venez*	*vous voulez*
	ils / elles prennent	*ils / elles savent*	*ils / elles viennent*	*ils / elles veulent*

Lexique

Le numéro à gauche est le numéro de l'unité où le mot apparaît pour la première fois (I = Introduction). Les adjectifs sont suivis de leur terminaison ou de leur forme au féminin entre parenthèses, si elle est différente du masculin. Les noms sont suivis de leur terminaison au pluriel, si elle est particulière. Les mots qui n'ont pas été l'objet d'un entraînement systématique n'apparaissent pas.

adj.	adjectif	*imp.*	impersonnel(le)	*n. f.*	nom féminin	*pron.*	pronom
adv.	adverbe	*interj.*	interjection	*n. m.*	nom masculin	*v. intr.*	verbe intransitif
art.	article	*interr.*	interrogatif	*pl.*	pluriel	*v. irr.*	verbe irrégulier
conj.	conjonction	*inv.*	invariable	*poss.*	possessif	*v. pron.*	verbe pronominal
expr.	expression	*loc.*	locution	*prép.*	préposition	*v. tr.*	verbe transitif

			anglais	espagnol	russe	grec
A	3	d'abord, *loc. adv.*	first, at first	primero	сначала, прежде всего	κατ'αρχήν, πρώτα απ' όλα
	2	d'accord, *loc. adv.*	all right! Okay!	de acuerdo, vale	ладно	εντάξει, οκέι
	3	adorer, *v. tr.*	to adore/love	adorar	обожать	λατρεύω, μου αρέσει πολύ
	1	affaires, *n. f. pl.*	things, belongings	cosas	вещи, принадлежности	πράγματα, προσωπικά είδη
	2	âge, *n. m.*	age	edad	возраст	ηλικία
	1	ah ! *interj.*	ah!	¡ah!	ах!	α!
	3	ah bon ? *loc.*	really?	¿ah sí?	что, правда?	μπα, αλήθεια;
	I	aïe, *interj.*	ouch!, ow!	¡ay!	ай!	άι!
	7	aider, *v. tr.*	to help	ayudar	помогать/помочь	βοηθώ
	3	aimer, *v. tr.*	to like/love	amar, gustar	любить	αγαπώ, μου αρέσει
	1	aller, *v. intr. et irr.*	to go	ir	идти, ехать	πηγαίνω
	3	alors, *adv.*	then, so, well	entonces, bueno	тогда, ну	λοιπόν
	1	ami, *n. m.*	friend (male)	amigo	друг	φίλος
	1	amie, *n. f.*	friend (female)	amiga	подруга	φίλη
	10	amoureux(se), *adj.*	in love	enamorado(da)	влюблённый(-ая)	ερωτευμένος(η)
	8	(s')amuser, *v. pron.*	to have a good time/have fun	divertirse	веселить(-ся)	διασκεδάζω
	2	an, *n. m.*	year	año	год	χρόνος
	6	anglais, *n. m.*	English	inglés	англичанин	αγγλικά
	2	animal (pl. -aux), *n. m.*	animal, pet	animal	животное	ζώο
	2	anniversaire, *n. m.*	birthday	cumpleaños	день рождения	γενέθλια
	2	août, *n. m.*	August	agosto	август	Αύγουστος
	9	appartement, *n. m.*	flat	piso	квартира	διαμέρισμα
	1	(s') appeler, *v. pron.*	to be called, my name is	llamarse	называть(-ся)	με λένε
	6	apprendre, *v. tr. et irr.*	to learn	aprender	учить/выучить	μαθαίνω
	3	après, *prép. et adv.*	after, then	después	после	μετά
	6	après-midi, *n. m. ou f.*	afternoon	tarde	после обеда	απόγευμα
	9	araignée, *n. f.*	spider	araña	паук	αράχνη
	9	armoire, *n. f.*	wardrobe	armario	шкаф	ντουλάπα
	7	assez, *adv.*	quite, enough	bastante	довольно	αρκετά
	11	attention, *interj.*	watch out	cuidado	внимание	προσοχή
	6	aujourd'hui, *adv.*	today	hoy	сегодня	σήμερα
	4	aussi, *adv.*	also, too	también	тоже	επίσης
	5	auto, *n. f.*	car	coche	машина	αυτοκίνητο
	7	avancer, *v. tr. et intr.*	to move/step forward	avanzar, adelantar	двигать вперёд	φέρνω μπροστά
	3	avec, *prép.*	with	con	с	με
	2	avoir, *v. tr. et irr.*	to have	tener	иметь	έχω
	2	avril, *n. m.*	April	abril	апрель	Απρίλιος
B	4	badminton, *n. m.*	badminton	bádminton	бадминтон	μιάνιμικιυν
	7	baisser, *v. tr.*	to bend	bajar	опускать/опустить	σκύβω
	7	bal, *n. m.*	ball	baile	бал	χορός
	1	baladeur, *n. m.*	digital music player	walkman	вокман, плеер	γουόκμαν
	3	banane, *n. f.*	banana	plátano	банан	μπανάνα
	8	baskets, *n. f. pl.*	trainers	zapatillas de deporte	кроссовки	αθλητικά παπούτσια
	4	basket(-ball), *n. m.*	basketball	baloncesto	баскетбол	μπάσκετ
	5	bateau (pl. -eaux), *n. m.*	boat	barco	лодка, судно	καραβάκι, πλοίο, σκάφος
	9	beau (belle), *adj.*	handsome, beautiful	guapo(pa)	красивый(-ая)	ωραίος (α)
	11	beaucoup, *adv.*	a lot, much, many	mucho	много	πολύς, πολλή, πολύ
	8	beige, *adj. et n.*	beige	beige	бежевый(-ая), бежевый цвет	μπεζ
	9	beurk, *interj.*	yuck!	¡aj! ¡qué asco!	фу!	(έκφραση αηδίας)
	11	beurre, *n. m.*	butter	mantequilla	масло	βούτυρο
	1	bien, *adv.*	well, fine	bien	хорошо	καλά
	7	bientôt, *adv.*	soon	pronto	скоро	σε λίγο
	8	blanc (blanche), *adj. et n.*	white	blanco(ca)	белый(-ая), белый цвет	άσπρος (η)
	7	bleu(e), *adj. et n.*	blue	azul	синий(-яя), синий цвет	μπλε
	7	blond(e), *adj. et n.*	fair(-haired), blond(e)	rubio(bia)	белокурый(-ая), светлый(-ая), блондин(-ка)	ξανθός(ιά)
	8	blouson, *n. m.*	jacket	cazadora	куртка	μπουφάν
	4	bof, *interj.*	meh	¡bah!	х-м-м (пренебрежительно)	(έκφραση αποδοκιμασίας, δυσαρέσκειας)
	9	boire, *v. tr. et irr.*	to drink	beber	пить	πίνω
	11	bol, *n. m.*	bowl	tazón, bol	чашка	μπολ

11	bon(ne), *adj.*	good, right	bueno(na)	добрый(-ая)	καλός(ή)
1	bonjour, *n. m.*	good morning, hello	buenos días	добрый день	καλημέρα
12	bonsoir, *n. m.*	good evening	buenas noches	добрый вечер	καλησπέρα
8	botte, *n. f.*	boot	bota	сапог	μπότα
7	bouche, *n. f.*	mouth	boca	рот	στόμα
7	bouger, *v. tr.*	to move	mover	двигаться	κουνάω, κινούμαι
5	boulangerie, *n. f.*	bakery	panadería	булочная	φούρνος
7	bras, *n. m.*	arm	brazo	рука	μπράτσο
1	bravo, *interj.*	well done, bravo!	bravo	браво	μπράβο
12	briller, *v. intr.*	to shine	brillar	блестеть	γυαλίζω
6	(se) brosser, *v. pron.*	to brush	cepillarse	чистить	βουρτίζω
7	brun(e), *adj. et n.*	brown, dark(-haired)	moreno(na)	темный(-ая), брюнет(-ка)	μελαχρινός(η)
9	bureau, *n. m.*	desk	mesa de despacho	письменный стол	γραφείο
5	bus, *n. m.*	bus	bus	автобус	λεωφορείο

C

1	ça, *pron.*	this, that, it	esto, eso	это	αυτό
9	(se) cacher, *v. pron.*	to hide	esconderse	прятать(-ся)	κρύβομαι
7	cadeau (pl. -eaux), *n. m.*	present	regalo	подарок (-ки)	δώρο
5	café, *n. m.*	coffee, café	café	кофе, кафé	ο καφές, το καφέ
11	café au lait, *n. m.*	coffee with milk	café con leche	кофе с молоком	καφές με γάλα
1	cahier, *n. m.*	exercice book	cuaderno	тетрадь	τετράδιο
9	canapé, *n. m.*	settee, sofa	sofá	диванчик	καναπές
6	cantine, *n. f.*	canteen	comedor del colegio	столовая	καντίνα, κυλικείο
8	carnaval, *n. m.*	carnival	carnaval	карнавал	καρναβάλι
4	cartes, *n. f. pl.*	cards	cartas, naipes	карты	χαρτιά
8	casquette, *n. f.*	cap	gorra	кепка	κασκέτο
9	cent, *adj. et n.*	a, one hundred	cien, ciento	сто	εκατό
11	céréales, *n. f. pl.*	cereals	cereales	злаки, каша	δημητριακά
9	chaise, *n. f.*	chair	silla	стул	καρέκλα
9	chambre, *n. f.*	bedroom	habitación	комната, спальня	υπνοδωμάτιο
3	champagne, *n. m.*	champagne	champán	шампанское	σαμπάνια
12	changer, *v. tr.*	to change	cambiar	менять/изменить	αλλάζω
8	chapeau, *n. m.*	hat	sombrero	шляпа	καπέλο
8	chanter, *v. tr. et intr.*	to sing	cantar	петь	τραγουδώ
2	chat, *n. m.*	cat	gato	кот	γάτα
7	châtain, *adj. m.*	brown(-haired), chesnut	castaño(ña)	каштановый	καστανός
10	chaud, *adj. et n.*	warm, hot	caliente	тёплый	ζεστός
8	chaussure, *n. f.*	shoe	zapato	обувь	παπούτσι
8	chemise, *n. f.*	shirt	camisa	рубашка	πουκάμισο
2	cheval (pl. -aux), *n. m.*	horse	caballo	лошадь(-и)	άλογο
7	cheveux, *n. m. pl.*	hair	cabello, pelo	волосы	μαλλιά
3	chez, *prép.*	at, to	en, a (casa de)	у	σε κάποιον (στο σπίτι κάποιου)
2	chien, *n. m.*	dog	perro	собака	σκύλος
6	chimie, *n. f.*	chemistry	química	химия	χημεία
3	chips, *n. f. pl.*	crisps	patatas fritas	чипсы	τσιπς
3	chocolat, *n. m.*	chocolate	chocolate	шоколад	σοκολάτα
8	chut, *interj.*	Sh!	¡chiss!	ш-ш-ш!	σουτ, σιωπή
4	cinéma, *n. m.*	cinema	cine	кинотеатр	σινεμά
1	cinq, *adj. et n.*	five	cinco	пять	πέντε
5	cinquante, *adj. et n.*	fifty	cincuenta	пятьдесят	πενήντα
6	classe, *n. f.*	classroom, class	clase	класс	τάξη
3	coca, *n. m.*	Coca Cola, coke	Coca Cola	кока	κόκα-κόλα
8	collant, *n. m.*	tights	panty	колготки	καλσόν
5	collège, *n. m.*	(secondary) school	colegio	коллеж	σχολείο, γυμνάσιο, κολέγιο
7	combien ?, *adv. interr.*	how much/many?	¿cuánto?	сколько?	πόσο;
7	commencer, *v. tr.*	to start/begin	empezar, comenzar	начинать/начать	αρχίζω
1	comment ?, *adv. interr.*	how? what?	¿cómo?	как?	πώς;
9	commode, *n. f.*	chest of drawers	cómoda	комод	κομός
11	confiture, *n. f.*	jam	mermelada	варенье	μαρμελάδα
9	connaître, *v. tr. et irr.*	to know	conocer	знать, быть знакомым	γνωρίζω
7	continuer, *v. tr. et intr.*	to go on, to continue	continuar, seguir	продолжать/продолжить	συνεχίζω
8	costume, *n. m.*	fancy dress, costume	disfraz	костюм	στολή μεταμφίεσης, κουστούμι
5	à côté de, *loc.*	next to	al lado de	рядом	κοντά, δίπλα
7	couleur, *n. f.*	colour	color	цвет	χρώμα
6	courir, *v. intr. et irr.*	to run	correr	бежать/бегать	τρέχω
7	court(e), *adj.*	short	corto(ta)	короткий(-ая)	κοντός(ή)
1	crayon, *n. m.*	pencil	lápiz	карандаш	μολύβι
3	crème caramel, *n. f.*	crème caramel	flan	карамельный крем	κρέμα καραμελέ
3	crêpe, *n. f.*	pancake	crêpe	блин	κρέπα
3	croissant, *n. m.*	croissant	croissant	круассан	κρουασάν
4	cuisine, *n. f.*	kitchen	cocina	кухня	κουζίνα

D

5	dans, *prép.*	in	en	в	μέσα
8	danser, *v. intr.*	to dance	bailar	танцевать	χορεύω
2	décembre, *n. m.*	December	diciembre	декабрь	Δεκέμβριος
8	(se) déguiser, *v. pron.*	to dress up/disguise o.s	disfrazarse	наряжаться, надеть карнавальный костюм	μεταμφιέζομαι
6	déjeuner, *n. m.*	lunch	comida, almuerzo	обед	γευματίζω/παίρνω το μεσημεριανό μου φαγητό
12	demain, *adv.*	tomorrow	mañana	завтра	αύριο
7	demander, *v. tr.*	to ask	preguntar, pedir	просить, спросить	ρωτώ
11	demi(e), *adj., adv. et n.*	half	medio(dia)	пол(-у), половина	μισός(ή)
10	dent, *n. f.*	tooth	diente	зуб	δόντι
6	(se) dépêcher, *v. pron.*	to hurry (up)	darse prisa	спешить	βιάζομαι

5	derrière, *prép. et adv.*	behind	detrás	за, позади	πίσω
3	des, *art.*	some	–	(артикль мн. ч.)	(πληθ. αορίστου άρθρου)
1	dessin, *n. m.*	drawing, sketch, art	dibujo	рисунок	σχέδιο, ζωγραφιά
4	dessiner, *v. tr.*	to draw	dibujar	рисовать	σχεδιάζω, ζωγραφίζω
3	détester, *v. tr.*	to hate	odiar, detestar	ненавидеть	μισώ, απεχθάνομαι
1	deux, *adj. et n.*	two	dos	два	δύο
5	devant, *prép. et adv.*	in front (of)	delante, en frente	перед, впереди	μπροστά
7	devoir, *v. tr. et irr.*	to have to	deber	быть обязанным	οφείλω
6	dimanche, *n. m.*	Sunday	domingo	воскресенье	Κυριακή
3	dîner, *n. m.*	dinner, evening meal	cena	ужин	δειπνώ /παίρνω το βραδινό μου φαγητό
1	dix, *adj. et n.*	ten	diez	десять	δέκα
1	dix-huit, *adj. et n.*	eighteen	dieciocho	восемнадцать	δεκαοχτώ
1	dix-neuf, *adj. et n.*	nineteen	diecinueve	девятнадцать	δεκαεννέα
1	dix-sept, *adj. et n.*	seventeen	diecisiete	семнадцать	δεκαεπτά
1	donner, *v. tr.*	to give	dar	давать/дать	δίνω
6	dormir, *v. intr. et irr.*	to sleep	dormir	спать	κοιμάμαι
10	dos, *n. m.*	back	espalda	спина	πλάτη
1	douze, *adj. et n.*	twelve	doce	двенадцать	δώδεκα
7	droit(e), *adj. et n.*	right	derecho(cha)	правый(-ая)	δεξιός(ά),

E

3	eau, *n. f.*	water	agua	вода	νερό
6	école, *n. f.*	school	escuela	школа	σχολείο
4	écouter, *v. tr.*	to listen to	escuchar	слушать	ακούω
1	(s') écrire, *v. pron. et irr.*	to spell, write	escribir	писать(-ся)	γράφω
1	elle, *pron.*	she, it	ella	она	αυτή
5	elles, *pron.*	they (feminine)	ellas	они (ж.р.)	αυτές
6	emploi du temps, *n. m.*	timetable, schedule	horario	расписание	ωράριο
5	en, *prép.*	by, in	en	в, по	σε
6	encore, *adv.*	still, again	todavía, otra vez, de nuevo	опять, ещё	ακόμα
7	ennemi, *n. m.*	enemy	enemigo	враг	εχθρός
5	ensuite, *adv.*	then, next	después, luego	потом, затем	μετά, έπειτα
5	entre, *prép.*	between	entre	между	μεταξύ
9	entrée, *n. f.*	entrance (hall)	entrada	вход	είσοδος, χολ
9	entrer, *v. intr.*	to go inside, enter	entrar	входить/войти	μπαίνω
10	épaule, *n. f.*	shoulder	hombro	плечо	ώμος
5	épicerie, *n. f.*	grocer's shop, groceries	tienda de ultramarinos	продовольственный магазин	παντοπωλείο
3	escargot, *n. m.*	snail	caracol	улитка	σαλιγκάρι
6	espagnol, *n. m.*	Spanish	español	испанец	ισπανικά
2	et, *conj.*	and	y	и	και
1	être, *v. intr. et irr.*	to be	ser, estar	быть	είμαι
3	euh, *interj.*	er, um...	pues	э-э-э!	ε…ε…ε!

F

10	fâché(e), *adj.*	angry, cross	enfadado(da)	раздражённый(-ая)	θυμωμένος(η)
3	(avoir) faim, *n. f.*	(to be) hungry	hambre	голод	πείνα
4	faire, *v. tr. et irr.*	to make/go/do	hacer	(с-)делать	κάνω
2	famille, *n. f.*	family	familia	семья	οικογένεια
9	fantôme, *n. m.*	ghost	fantasma	привидение	φάντασμα
10	fatigué(e), *adj.*	tired	cansado(da)	усталый(-ая)	κουρασμένος(η)
9	fauteuil, *n. m.*	armchair	sillón	кресло	πολυθρόνα
7	fée, *n. f.*	fairy	hada	фея	νεράιδα
8	fête, *n. f.*	festival, celebration	fiesta	праздник	γιορτή
8	fêter, *v. tr.*	to celebrate	celebrar, festejar	(от-)праздновать	γιορτάζω
8	feu d'artifice, *n. m.*	firework display	fuegos artificiales	фейерверк	πυροτέχνημα
1	feutre, *n. m.*	felt-tip pen	rotulador	фетр, войлок	μαρκαδόρος
2	février, *n. m.*	February	febrero	февраль	Φεβρουάριος
2	fille, *n. f.*	daughter, girl	chica, hija	дочь, девочка	κόρη, κορίτσι
2	fils, *n. m.*	son	hijo	сын	γιος
12	fin, *n. f.*	end	fin	конец	τέλος
7	fini(e), *adj.*	finished, over	acabado(da)	законченный(-ая)	τελειωμένος(η)
4	foot(ball), *n. m.*	football	fútbol	футбол	ποδόσφαιρο
6	français, *n. m.*	French	francés	француз	γαλλικά
2	frère, *n. m.*	brother	hermano	брат	αδερφός
3	frites, *n. f. pl.*	chips	patatas fritas	картошка фри	πατάτες τηγανητές
10	(avoir) froid, *adj. et n.*	(to be) cold	frío	холодный	κρύο
3	fromage, *n. m.*	cheese	queso	сыр	τυρί

G

9	garage, *n. m.*	garage	garaje	гараж	γκαράζ
5	gare, *n. f.*	(railway) station	estación	вокзал	σταθμός
3	gâteau (pl. -eaux), *n. m.*	cake	pastel	торт, печенье	κέικ, γλυκό
7	gauche, *adj. et n.*	left	izquierdo(da)	левый	αριστερός, αριστερά
1	génial(e), *adj.*	great, super	genial	гениальный(-ая)	φανταστικός, σούπερ
6	géographie, *n. f.*	geography	geografía	география	γεωγραφία
8	gilet, *n. m.*	waistcoat	chaleco	жилет	γιλέκο
3	glace, *n. f.*	ice cream	helado	мороженое	παγωτό
7	gobelin, *n. m.*	goblin	duendecillo	гобелен	γκόμπλιν
1	gomme, *n. f.*	rubber	goma	резинка	γόμμα
10	gorge, *n. f.*	throat	garganta	горло	λαιμός
3	goût, *n. m.*	taste	gusto	вкус	γεύση
11	goûter, *n. m.*	afterschool snack	merienda	полдник	απογευματινό κολατσιό
7	grand(e), *adj.*	big, tall	grande	большой(-ая)	μεγάλος(η), ψηλός(ή)
2	grand-mère, *n. f.*	grandmother	abuela	бабушка	γιαγιά
2	grand-père, *n. m.*	grandfather	abuelo	дедушка	παππούς
7	gris(e), *adj. et n.*	grey	gris	серый(-ая)	γκρίζος(α)

H					
6	(s') habiller, *v. pron.*	to get dressed/dress	vestirse	одевать(-ся)	ντύνομαι
5	habiter, *v. intr.*	to live (in)	vivir	жить	κατοικώ, μένω
3	hamburger, *n. m.*	hamburger	hamburguesa	гамбургер	χάμπουργκερ
2	hamster, *n. m.*	hamster	hámster	хомяк	χάμστερ
1	hé, *interj.*	hey!	¡eh!	э! эй!	Ε!
6	heure, *n. f.*	hour, time	hora	час, время	ώρα
6	histoire, *n. f.*	history, story	historia	история	ιστορία
4	hockey, *n. m.*	hockey	hockey	хоккей	χόκεϊ
5	hôpital, *n. m.*	hospital	hospital	больница	νοσοκομείο
1	huit, *adj. et n.*	eight	ocho	восемь	οχτώ

I					
5	ici, *adv.*	here	aquí	здесь	εδώ
2	idée, *n. f.*	idea	idea	идея	ιδέα
9	idiot(e), *n. et adj.*	idiot, stupid	idiota, tonto	идиот(-ка)	ηλίθιος(ια)
1	il, *pron.*	he, it	él	он	αυτός
5	ils, *pron.*	they (masculine)	ellos	они (м.р.)	αυτοί
3	il y a, *expr. imp.*	there (is, are)	hay	есть, существует	έχει/υπάρχει
3	invitation, *n. f.*	invitation	invitación	приглашение	πρόσκληση

J					
7	jambe, *n. f.*	leg	pierna	нога	γάμπα
2	janvier, *n. m.*	January	enero	январь	Ιανουάριος
9	jardin, *n. m.*	garden	jardín	сад	κήπος
8	jaune, *adj. et n.*	yellow	amarillo(lla)	жёлтый(-ая), жёлтый цвет	κίτρινο
1	je, *pron.*	I	yo	я	εγώ
8	jean, *n. m.*	jeans	vaqueros	джинсы	τζιν
6	jeudi, *n. m.*	Thursday	jueves	четверг	Πέμπτη
4	jogging, *n. m.*	jogging	jogging	бег трусцой	τζόγκινγκ
12	joie, *n. f.*	joy	alegría	радость	χαρά
4	jouer, *v. intr.*	to play, act out	jugar, tocar	играть	παίζω
6	jour, *n. m.*	day	día	день	ημέρα
4	judo, *n. m.*	judo	judo	дзю-до	τζούντο
2	juillet, *n. m.*	July	julio	июль	Ιούλιος
2	juin, *n. m.*	June	junio	июнь	Ιούνιος
8	jupe, *n. f.*	skirt	falda	юбка	φούστα
3	jus d'orange, *n. m.*	orange juice	zumo de naranja	апельсиновый сок	χυμός πορτοκάλι, πορτοκαλάδα

K					
10	kilo, *n. m.*	kilo	kilo	кило	κιλό

L					
9	là, *adv.*	there, over there, here	ahí, allí	тут	εκεί
11	lait, *n. m.*	milk	leche	молоко	γάλα
9	lampe, *n. m.*	lamp	lámpara	лампа	λάμπα, λαμπατέρ, επιτραπέζιο φωτιστικό
2	lapin, *n. m.*	rabbit	conejo	кролик	κουνέλι
6	(se) laver, *v. pron.*	to have a wash/wash	lavarse	мыть(-ся)	πλένομαι
2	le (la, l', les), *art.*	the	el, la, los	(определённые артикли)	ο (η, το, οι, τα)
12	leur (leurs), *adj. poss.*	their	su, sus	свои, их	δικό τους, δικά τους
7	lever, *v. tr.*	to raise/lift/put up	levantar	поднимать/поднять	σηκώνω
6	(se) lever, *v. pron.*	to get/stand up	levantarse	вставать/встать	σηκώνομαι
9	lit, *n. m.*	bed	cama	кровать	κρεβάτι
1	livre, *n. m.*	book	libro	книга	βιβλίο
7	long (longue), *adj.*	long	largo(ga)	длинный(-ая)	μακρύς(ιά)
10	lourd(e), *adj.*	heavy, muggy	pesado(da)	тяжелый(-ая)	βαρύς(ιά)
1	lui, *pron.*	him, her, it	él	ему	αυτός
6	lundi, *n. m.*	Monday	lunes	понедельник	Δευτέρα

M					
1	madame, *n. f.*	madam, Mrs	señora	госпожа	κυρία
8	magicien, *n. m.*	magician, wizard	mago	волшебник	μάγος
4	magie, *n. f.*	magic	magia	волшебство	μαγεία
2	mai, *n. m.*	May	mayo	май	Μάιος
7	main, *n. f.*	hand	mano	рука	χέρι
3	mais, *conj.*	but	pero	но	αλλά
9	maison, *n. f.*	house, home	casa	дом	σπίτι
10	mal, *adv. et n. m.*	bad(ly), ache	mal, dolor	плохо, зло/болезнь	άσχημα, πόνος
10	malade, *adj.*	sick, ill	enfermo(ma)	больной	άρρωστος
8	manger, *v. tr.*	to eat	comer	есть, кушать	τρώω
8	manquer, *v. intr. et imp.*	to be lacking, missing	faltar	не хватать (чего-то, кого-то)	λείπει, λείπουν
8	manteau, *n. m.*	coat	abrigo	манто	παλτό
7	marcher, *v. intr.*	to walk	andar, caminar	шагать, гулять	περπατώ
6	mardi, *n. m.*	Tuesday	martes	вторник	Τρίτη
7	marron, *adj. inv.*	brown	marrón	каштановый	καφέ
2	mars, *n. m.*	March	marzo	март	Μάρτιος
6	maths, *n. f. plur.*	maths	matemáticas	математика	μαθηματικά
6	matière, *n. f.*	subject	asignatura	предмет	ύλη μαθήματος
6	matin, *n. m.*	morning	mañana	утро	πρωί
11	mauvais(e), *adj.*	bad	malo(la)	плохой(-ая)	κακός(ή)
3	melon, *n. m.*	melon	melón	дыня	πεπόνι
1	merci, *interj.*	thank you	gracias	спасибо	ευχαριστώ
6	mercredi, *n. m.*	Wednesday	miercoles	среда	Τετάρτη
2	mère, *n. f.*	mother	madre	мать	μητέρα
12	météo, *n. f.*	weather forecast	meteorología	сводка погоды	ο καιρός
5	métro, *n. m.*	underground	metro	метро	μετρό

10	mettre, *v. tr. et irr.*	to put (on)	poner	положить, надеть, расположиться	βάζω
6	midi, *n. m.*	midday	mediodía	полдень	μεσημέρι
6	minuit, *n. m.*	midnight	medianoche	полночь	μεσάνυχτα
1	moi, *pron.*	myself, me	yo, me, mi	я	εγώ
7	momie, *n. f.*	mummy	momia	мумия	μούμια
1	mon, ma, mes, *adj. poss.*	my	mi, mis	мой, моя, мои	μου, δικός(ή, ό, οί, ές, ά) μου
I	monsieur, *n. m.*	sir, Mr	señor	господин	κύριος
7	monstre, *n. m.*	monster	monstruo	чудовище	τέρας
10	mort(e), *adj.*	dead	muerto(ta)	мёртвый(-ая)	πεθαμένος(η)
4	moto, *n. f.*	motorbike, bike	moto	мотоцикл	μοτοσυκλέτα, μηχανάκι
9	mourir, *v. intr. et irr.*	to die	morir	умирать/умереть	πεθαίνω
2	mousquetaire, *n. m.*	musketeer	mosquetero	мушкетер	σωματοφύλακας
5	musée, *n. m.*	museum	museo	музей	μουσείο
4	musique, *n. m.*	music	música	музыка	μουσική

N

4	natation, *n. f.*	swimming	natación	плавание	κολύμπι
12	neige, *n. f.*	snow	nieve	снег	χιόνι
12	neiger, *v. imp.*	to snow	nevar	il neige = идёт снег	χιονίζει
I	neuf, *adj. et n.*	nine	nueve	девять	εννέα
7	nez, *n. m.*	nose	nariz	нос	μύτη
8	Noël, *n. m.*	Christmas	Navidad	Рождество	Χριστούγεννα
7	noir(e), *adj. et n.*	black	negro(gra)	чёрный(-ая), чёрный цвет	μαύρος(η)
I	non, *adv.*	no, not	no	нет	όχι
12	notre (nos), *adj. poss.*	our	nuestro, nuestros	наш(-и)	μας, δικός(ή, ό, οί, ές, ά) μας
3	nougat, *n. m.*	nougat	turrón	нуга	είδος μαντολάτου
5	nous, *pron.*	we, us	nosotros	мы	εμείς
8	Nouvel An, *n. m.*	New Year's Day	año nuevo	Новый год	ο καινούργιος χρόνος
2	novembre, *n. m.*	November	noviembre	ноябрь	Νοέμβριος
12	nuage, *n. m.*	cloud	nube	туча	σύννεφο
1	nul(le), *adj.*	useless, rubbish	fatal	неощутимый(-ая), ничтожный(-ая)	άσχετος(η), χάλια
3	numéro, *n. m.*	number	número	номер	αριθμός, νούμερο

O

2	octobre, *n. m.*	October	octubre	октябрь	Οκτώβριος
7	œil (pl. yeux) *n. m.*	eye	ojo	глаз(-а)	μάτι
8	œuf, *n. m.*	egg	huevo	яйцо	αυγό
1	oh (là là), *interj.*	oh!, oh dear!	¡vaya!	о (-ля-ля)!	Ω!
3	olive, *n. f.*	olive	aceituna	оливка, маслина	ελιά
4	on, *pron.*	one, you, we, they	se, nos	кто-то, кое-кто	(αόριστη αντωνυμία) κάποιος, κανείς, (μπορεί να αναφέρεται και στα 2 γένη)
2	oncle, *n. m.*	uncle	tío	дядя	θείος
1	onze, *adj. et n.*	eleven	once	одиннадцать	έντεκα
12	orage, *n. m.*	storm	tormenta	гроза	καταιγίδα, θύελλα
8	orange, *adj. et n.*	orange	naranja	оранжевый(-ая), оранжевый цвет ; апельсин	πορτοκαλί
4	ordinateur, *n. m.*	computer	ordenador	компьютер	υπολογιστής
7	oreille, *n. f.*	ear	oreja	ухо	αφτί
2	ou, *conj.*	or	o, u	или	ή
5	où ?, *adv. interr.*	where?	¿donde? ¿adonde?	где?	πού;
I	oui, *adv.*	yes	si	да	ναι

P

3	pain, *n. m.*	bread	pan	хлеб	ψωμί
8	pantalon, *n. m.*	trousers	pantalón	брюки	παντελόνι
8	Pâques, *n. f. pl.*	Easter	Pascuas	Пасха	Πάσχα
5	parc, *n. m.*	park	parque	парк	πάρκο
I	pardon, *interj.*	sorry, (I'm) sorry	perdón	прости(-те)	συγγνώμη
6	partir, *v. intr. et irr.*	to go, to leave	partir, salir	уезжать/уехать, уходить/уйти	φεύγω
9	partout, *adv.*	everywhere, wherever	en todas partes	везде	παντού
2	(ne) pas, *adv.*	(not)...any (with verb)	no	не	δεν
1	pas mal, *loc.*	quite nice/good, not bad	no está mal	неплохо	καθόλου άσχημα
4	passe-temps, *n. m.*	hobby	pasatiempo	времяпровождение	χόμπι
2	père, *n. m.*	father	padre	отец	πατέρας
2	perruche, *n. f.*	budgerigar	cotorra	попугайчик	παπαγαλάκι
10	peser, *v. tr. et intr.*	to weigh	pesar	взвешивать/взвесить	ζυγίζω
7	petit(e), *adj.*	short (height), small, little	pequeño(ña)	маленький(-ая)	μικρός(ή), κοντός(ή)
6	petit déjeuner, *n. m.*	breakfast	desayuno	завтрак	πρωινό
11	(un) peu, *adv.*	(a) little	(un) poco	немного, мало	λίγο, λιγάκι
10	peur, *n. f.*	fear	miedo	страх	φόβος
1	photo, *n. f.*	photo, picture	foto	фотография	φωτογραφία
6	physique, *n. f.*	physics	física	физика	φυσική
9	pièce, *n. f.*	room	habitación	комната	δωμάτιο
5	pied, *n. m.*	foot	pie	нога, ступня	πόδι
4	ping-pong, *n. m.*	table tennis	tenis de mesa, ping-pong	пинг-понг	πινγκ-πονγκ
7	pirate, *n. m.*	pirate	pirata	пират	πειρατής
5	piscine, *n. f.*	swimming-pool	piscina	бассейн	πισίνα
3	pizza, *n. f.*	pizza	pizza	пицца	πίτσα
9	plan, *n. m.*	plan, map	plano	план	χάρτης
12	pleuvoir, *v. imp.*	to rain	llover	il pleut = идет дождь	βρέχει
7	plier, *v. tr.*	to bend	plegar	складывать/сложить	διπλώνω
12	pluie, *n. f.*	rain	lluvia	дождь	βροχή
8	plume, *n. f.*	feather	pluma	перо	φτερό
10	poids, *n. m.*	weight	peso	вес	βάρος
2	poisson, *n. m.*	fish	pez, pescado	рыба	ψάρι

5	poissonnerie, *n. f.*	fishmonger's	pescadería	рыбный магазин	ιχθυοπωλείο
3	pomme, *n. f.*	apple	manzana	яблоко	μήλο
2	poney, *n. m.*	pony	poni	пони	πόνι
5	pont, *n. m.*	bridge	puente	мост	γέφυρα
1	portable, *n. m.*	mobile	móvil	мобильный телефон	κινητό
7	porter, *v. tr.*	to wear	llevar	носить/нести	φοράω
7	portrait, *n. m.*	portrait, picture	retrato	портрет	πορτρέτο
1	poser, *v. tr.*	to put down/on	poner, colocar	(по-)ложить	αφήνω κάτω, τοποθετώ
5	poste, *n. f.*	post office, post	correos	почта	ταχυδρομείο
3	poulet, *n. m.*	chicken	pollo	курица	κοτόπουλο
3	pour, *prép.*	for, in order to	para	для	για
9	pouvoir, *v. tr. et irr.*	can, may, to be able	poder	(с-)мочь	μπορώ
5	pratique, *adj.*	useful, convenient	práctico(ca)	практичный	πρακτικός
4	préféré(e), *adj.*	favourite	preferido(da)	любимый(-ая) – напр., блюдо	αγαπημένος(η)
4	préférer, *v. tr.*	to prefer	preferir	предпочитать	προτιμώ
1	prendre, *v. tr. et irr.*	to take/get	tomar	брать/взять	παίρνω
12	presque, *adv.*	almost, nearly	casi	почти	σχεδόν
6	prêt(e), *adj.*	ready	listo(ta)	готовый(-ая)	έτοιμος(η)
6	professeur, *n. m. ou f.*	teacher	profesor(sora)	преподаватель(-ница)	καθηγητής
3	(et) puis, *adv.*	then, next	después, luego	(и) затем	(και) μετά
8	pull, *n. m.*	pullover, sweater	jersey	пуловер	πουλόβερ

Q

8	quand ?, *adv. interr.*	when?	¿cuándo?	когда?	πότε;
5	quarante, *adj. et n.*	forty	cuarenta	сорок	σαράντα
11	quart, *n. m.*	quarter	cuarto	четверть	τέταρτο
I	quatorze, *adj. et n.*	fourteen	catorce	четырнадцать	δεκατέσσερα
I	quatre, *adj. et n.*	four	cuatro	четыре	τέσσερα
9	quatre-vingt-dix, *adj. et n.*	ninety	noventa	девяносто	ενενήντα
9	quatre-vingt (s), *adj. et n.*	eighty	ochenta	восемьдесят	ογδόντα
6	quel, quelle ?, *adj. interr.*	what? who? which?	¿qué? ¿quién? ¿cuál?	какой(-ая)?, который(-ая)?	ποιος, ποια;
1	qui ?, *pron. interr.*	who?	¿quién?	кто?	ποιος;
3	quiche, *n. f.*	quiche	quiche	пирог с кусочками сала и ветчины	κις λορέν
I	quinze, *adj. et n.*	fifteen	quince	пятнадцать	δεκαπέντε
1	quoi ?, *pron. interr.*	what?	¿qué?	что?	τι;

R

7	rapporter, *v. tr.*	to bring back	traer	приносить/принести	φέρνω πίσω
6	récréation, *n. f.*	break	recreo	перемена	διάλειμμα
7	reculer, *v. intr.*	to move/step back	recular	отступать/отступить	έρχομαι πίσω, κάνω ένα βήμα πίσω
4	regarder, *v. tr.*	to look at, to watch	mirar	смотреть	κοιτάζω
1	règle, *n. m.*	ruler	regla	линейка	χάρακας
2	reine, *n. f.*	queen	reina	королева	βασίλισσα
11	repas, *n. m.*	meal	comida	принятие пищи (завтрак, обед и т.д.)	γεύμα
6	(se) réveiller, *v. pron.*	to wake up	despertarse	просыпаться/проснуться	ξυπνώ
6	rêver, *v. intr.*	to dream	soñar	мечтать, видеть сны	ονειρεύομαι
I	(au) revoir, *n. m.*	goodbye, farewell	adiós, hasta luego	до свидания	γεια σου (σας)
11	rien, *pron. adv.*	nothing	nada	ничего	τίποτα
8	robe, *n. f.*	dress	vestido	платье	φόρεμα
2	roi, *n. m.*	king	rey	король	βασιλιάς
4	roller, *n. m.*	roller-skating	patín	ролики	πατίνι, ρόλερ
8	rose, *adj. et n.*	pink	rosado, rosa	розовый(-ая), розовый цвет	ροζ
8	rouge, *adj. et n.*	red	rojo(ja)	красный(-ая), красный цвет	κόκκινο
7	roux (rousse), *adj. et n.*	red, red-haired	pelirrojo(ja)	рыжий(-ая), рыжий цвет	κοκκινομάλλης(α)
5	rue, *n. f.*	street	calle	улица	οδός, δρόμος
4	rugby, *n. m.*	rugby	rugby	регби	ράγκμπι

S

1	sac (à dos), *n. m.*	rucksack, school bag	mochila	сумка (рюкзак)	σάκα, σακίδιο
3	salade, *n. f.*	salad	ensalada	салат	σαλάτα
9	salle de bains, *n. f.*	bathroom	cuarto de baño	ванная	μπάνιο
9	salle de séjour, *n. f.*	living room	cuarto de estar	гостиная	καθιστικό,
I	salut, *n. m.*	hello, hi	hola, adiós	привет	γεια
6	samedi, *n. m.*	Saturday	sábado	суббота	Σάββατο
3	sandwich, *n. m.*	sandwich	bocadillo	сендвич	σάντουιτς
7	sans, *prép.*	without	sin	без	χωρίς
7	sauter, *v. intr.*	to jump	saltar	прыгать/прыгнуть	πηδάω
8	savoir, *v. tr. et irr.*	to know	saber	(у-)знать	ξέρω
6	sciences, *n. f. plur.*	science	ciencias	науки	επιστήμες
7	secouer, *v. tr.*	to shake	sacudir	(по-)трясти	τινάζω
10	(au) secours, *n. m.*	help	¡socorro!	на помощь!	βοήθεια!
9	secret (secrète), *adj.*	secret	secreto(ta)	секретный(-ая)	μυστικός(η)
I	seize, *adj. et n.*	sixteen	dieciséis	шестнадцать	δεκαέξι
I	sept, *adj. et n.*	seven	siete	семь	επτά
2	septembre, *n. m.*	September	septiembre	сентябрь	Σεπτέμβριος
8	si, *adv.*	yes, indeed	si	да	ναι, και βέβαια
I	six, *adj. et n.*	six	seis	шесть	έξι
4	ski, *n. m.*	skiing	esquí	лыжи	σκι
2	sœur, *n. f.*	sister	hermana	сестра	αδερφή
10	soif, *n. f.*	thirst	sed	жажда	δίψα
11	soir, *n. m.*	evening	tarde, noche	вечер	βράδυ
5	soixante, *adj. et n.*	sixty	sesenta	шестьдесят	εξήντα
9	soixante-dix, *adj. et n.*	seventy	setenta	семьдесят	εβδομήντα
12	soleil, *n. m.*	sun	sol	солнце	ήλιος
10	sommeil, *n. m.*	sleep	sueño	сон	ύπνος

7	son (sa, ses), *adj. poss.*	his, her, its	su	его (её)	του/της (κτητικό)
8	sorcière, *n. f.*	witch	bruja	ведьма	μάγισσα
8	souhaiter, *v. tr.*	to wish	desear, felicitar	(по-)желать	εύχομαι
3	soupe, *n. f.*	soup	sopa	суп	σούπα
12	sourire, *v. intr. et irr.*	to smile	sonreír	улыбаться/улыбнуться	χαμογελώ
2	souris, *n. f.*	mouse	ratón	мышка	ποντίκι
9	sous, *prép.*	under	bajo	под	κάτω
4	sport, *n. m.*	sport	deporte	спорт	σπορ
5	stade, *n. m.*	stadium	estadio	стадион	στάδιο
7	stop, *interj.*	stop	alto, stop	стоп	στοπ
10	stressé(e), *adj.*	stressed	estresado(da)	(кто-то) в стрессовом состоянии	στρεσαρισμένος(η)
1	stylo-bille, *n. m.*	ballpoint pen, biro	bolígrafo	шариковая ручка	στυλό
11	sucre, *n. m.*	sugar	azúcar	сахар	ζάχαρη
1	super, *adj.*	great, fantastic	súper	супер	σούπερ, καταπληκτικό
5	supermarché, *n. m.*	supermarket	supermercado	супермаркет	σουπερμάρκετ
4	sur, *prép.*	on	sobre	на	πάνω
4	surfer, *v. intr.*	to surf (the Net)	navegar	гулять (по Интернету)	σερφάρω

T

9	table, *n. f.*	table	mesa	стол	τραπέζι
1	taille-crayon, *n. m.*	sharpener	sacapuntas	точилка для карандашей	ξύστρα
2	tante, *n. f.*	aunt	tía	тётя	θεία
9	tapis, *n. m.*	carpet	alfombra	ковёр	χαλί
11	tartine, *n. f.*	slice of bread and butter	rebanada de pan con mantequilla	бутерброд	φέτα ψωμιού με βούτυρο και/ή μαρμελάδα
5	taxi, *n. m.*	taxi	taxi	такси	ταξί
6	technologie, *n. f.*	technology	tecnología	технология	τεχνολογία
8	tee-shirt, *n. m.*	tee-shirt	camiseta	майка	Τι-σερτ
9	téléphone, *n. m.*	telephone, phone	teléfono	телефон	τηλέφωνο
4	télé(vision), *n. f.*	telly, television	televisión	телевизор	τηλεόραση
4	tennis, *n. m.*	tennis	tenis	теннис	τένις
8	tennis, *n. m. ou f. pl.*	tennis-shoes	zapatillas de deporte	теннисные туфли	αθλητικά παπούτσια
7	tête, *n. f.*	head	cabeza	голова	κεφάλι
11	thé, *n. m.*	tea	té	чай	τσάι
12	titre, *n. m.*	title	título	название, заглавие	τίτλος
1	toi, *pron.*	you	tú, te, ti	ты	εσύ
9	toilettes, *n. f.*	toilet	servicios	туалет	τουαλέτα
3	tomate, *n. f.*	tomato	tomate	помидор	ντομάτα
2	ton (ta, tes), *adj. poss.*	your	tu, tus	твой (твоя, твои)	σου (κτητικό επίθ.)
2	tortue, *n. f.*	tortoise	tortuga	черепаха	χελώνα
7	toujours, *adv.*	always, still	siempre	всегда	πάντα
5	tour Eiffel, *n. f.*	Eiffel tower	torre Eiffel	Эйфелева башня	ο πύργος του Άιφελ
5	touriste, *n. m. ou f.*	tourist	turista	турист(-ка)	τουρίστας(στρια)
5	tourner, *v. intr.*	to turn	torcer	поворачивать/повернуть	γυρίζω
10	tout, *pron. adv.*	everything, (that's) all, very	todo	все	όλο
5	tout droit, *loc. adv.*	straight on	de frente	прямо	όλο ευθεία
4	travailler, *v. intr.*	to work	trabajar	работать	δουλεύω
5	traverser, *v. tr.*	to cross	atravesar	переходить/перейти	διασχίζω
1	treize, *adj. et n.*	thirteen	trece	тринадцать	δεκατρία
2	trente, *adj. et n.*	thirty	treinta	тридцать	τριάντα
1	très, *adv.*	very	muy	очень	πολύ
10	triste, *adj.*	sad	triste	грустный	λυπημένος
1	trois, *adj. et n.*	three	tres	три	τρεις(ία)
10	trop, *adv.*	too (much, many)	demasiado	слишком	υπερβολικά πολύ
1	trousse, *n. m.*	pencil case	estuche	несессер, косметичка	κασετίνα
1	tu, *pron.*	you	tú	ты	εσύ

U

1 et 1	un(e), *adj. et art.*	one, a, an	un, uno, una	один (одна)	ένας (μια, μία, ένα)

V

8	vampire, *n. m.*	vampire	vampiro	вампир	βαμπίρ
11	vanille, *n. f.*	vanilla	vainilla	ваниль	βανίλια
4	vélo, *n. m.*	bike	bici	велосипед	ποδήλατο
6	vendredi, *n. m.*	Friday	viernes	пятница	Παρασκευή
11	venir, *v. intr. et irr.*	to come	venir	приходить/прийти	έρχομαι
12	vent, *n. m.*	wind	viento	ветер	αέρας
10	ventre, *n. m.*	stomach, belly	vientre	живот	κοιλιά
7	vert(e), *adj. et n.*	green	verde	зелёный(-ая), зелёный цвет	πράσινος(η)
8	veste, *n. f.*	jacket	chaqueta	пиджак	σακάκι
8	vêtements, *n. m. pl.*	clothes	ropa	одежда	ρούχα
5	ville, *n. f.*	town	ciudad	город	πόλη
1	vingt, *adj. et n.*	twenty	veinte	двадцать	είκοσι
9	visiter, *v. tr.*	to visit	visitar	посещать/посетить	επισκέπτομαι
8	violet(te), *adj. et n.*	purple, violet	violeta	фиолетовый(-ая), фиолетовый цвет	μωβ
6	vite, *adv.*	quickly, fast	de prisa	быстро	γρήγορα
2	voici, *prép.*	here (is, are)	he aquí, esto es	вот	να κοίτα (για κάτι που είναι κοντά)
2	voilà, *prép.*	there/here (is, are), that (is)	he ahí, esto es	вон	να κοίτα (για κάτι που είναι μακριά)
4	volley(-ball), *n. m.*	volleyball	balonvolea	волейбол	βόλεϊ
12	votre (vos), *adj. poss.*	your	vuestro(tra)	ваш(-и)	δικός(ή, ό) σας, δικοί(ές, ά) σας
3	vouloir, *v. tr. et irr.*	to want, to like	querer	хотеть	θέλω
5	vous, *pron.*	you	vosotros(tras)	вы	εσείς

Y

11	yaourt, *n. m.*	yoghurt	yogur	йогурт	γιαούρτι
7	yeux, *n. m. pl.*	eyes	ojos	глаза	μάτια

Z

1	zéro, *n. m.*	zero, nought	cero	ноль	μηδέν
5	zoo, *n. m*	zoo	zoo	зоопарк	ζωολογικός κήπος

Tableau des contenus

Unité	Titre	Objectifs de communication	Vocabulaire
Introduction	***Bonjour !***	Saluer et prendre congé Se présenter : *Je m'appelle...* Épeler un mot : *Ça s'écrit...*	*Salut ! Bonjour ! Bonjour, monsieur ! Bonjour, madame ! Ça va ? Ça va. Ça ne va pas. Ça va mal. Oui, non. Merci. Au revoir ! Aïe ! Pardon ! Ah ! ah !*
Unité 1	***Mes affaires***	Identifier quelque chose ou quelqu'un : *C'est qui ? (Qui est-ce ?) Qu'est-ce que c'est ? C'est...*	*un(e) ami(e)* - Matériel scolaire et affaires personnelles : *cahier, crayon, feutre, gomme, livre, règle, stylo-bille, taille-crayon, trousse... baladeur, CD, dessin, photo, portable, sac (à dos)...* Nombres de 0 à 20
Unité 2	***Moi et ma famille***	Dire son âge : *J'ai...* Présenter ses amis, sa famille, ses animaux : *Voici, voilà... J'ai, je n'ai pas de...*	Famille : *fille, fils, frère, demi-frère, grand-mère, grand-père, mère, oncle, père, sœur, demi-sœur, tante, anniversaire...* Animaux domestiques : *chat, cheval, chien, hamster, lapin, perruche, poisson, poney, souris, tortue* – Mois de l'année - Nombres jusqu'à 39
Unité 3	***Mes goûts***	Exprimer ses goûts : *J'aime, j'adore, je déteste...* Identifier : *Il y a...* Demander : *Tu veux... ?*	Aliments et boissons : *banane, camembert, chips, chocolat, coca, crêpe, croissant, eau, escargots, frites, fromage, gâteau, glace, jus d'orange, melon, olive, pain, pizza, poisson, pomme, poulet, quiche, salade, soupe, tomate...*
Unité 4	***Mes passe-temps***	Parler de ses activités et passe-temps : *Qu'est-ce que tu fais ? - Je regarde la télévision.*	Passe-temps et sports : *dessiner, écouter, faire, jouer, préférer, regarder, travailler, surfer sur Internet... badminton, basket, football, hockey, jogging, judo, moto, natation, ping-pong, planche à voile, ski, tennis, vélo, volley...*
Unité 5	***Ma ville***	Localiser : *J'habite à... C'est à côté de...* Indiquer une direction : *Prenez à gauche ! Tournez à droite !*	Transports : *auto, bateau, bus, métro, moto, roller, taxi, vélo...* Bâtiments : *boulangerie, café, cinéma, collège, épicerie, gare, hôpital, musée, parc, piscine, poissonnerie, pont, poste, rue, stade, supermarché, zoo...* Nombres jusqu'à 69
Unité 6	***Mon emploi du temps***	Dire le jour et l'heure : *On est mardi. Il est huit heures.* Demander à qqn de faire qqch. : *Dépêche-toi !*	Jours de la semaine, moments de la journée Collège et matières scolaires : *cantine, classe, emploi du temps, professeur, récréation... anglais, chimie, dessin, espagnol, français, géographie, histoire, maths, musique, physique, sport, SVT, techno...*
Unité 7	***Mon portrait***	Se décrire et décrire quelqu'un : *Mes yeux sont... J'ai les cheveux... Il est petit. Elle est grande.*	Visage et corps : *basket, bouche, bras, cheveux, jambe, main, nez, œil, oreille, pied, portrait, tête* – Personnages – Adjectifs : *bleu, blond, brun, châtain, gris, marron, noir, roux, vert ; grand, petit, court, long, droit(e), gauche...*
Unité 8	***Vêtements et fêtes***	Parler des vêtements qu'on porte : *Je porte...* Parler du destinataire de qqch. : *C'est pour...*	Vêtements et couleurs : *basket, blouson, botte, casquette, chapeau, chaussure, chemise, collant, gilet, jean, jupe, manteau, pantalon, pull, robe, tee-shirt, tennis, veste... beige, blanc, jaune, orange, rose, rouge, violet...*
Unité 9	***Ma maison***	Dire où on habite : *J'habite dans une petite maison.* Décrire sa chambre : *J'ai une commode et une télé.*	Maison : *appartement, armoire, bureau, canapé, chaise, chambre, commode, cuisine, entrée, fauteuil, garage, jardin, lampe, lit, ordinateur, pièce, salle de bains, salle de séjour, table, tapis, téléphone, toilettes...* Nombres jusqu'à 100
Unité 10	***Mes sensations***	Exprimer ses sentiments : *Je vais bien. Je suis triste.* Exprimer ses sensations : *J'ai froid. J'ai sommeil.*	Sensations et émotions : *chaud, faim, froid, mal, peur, soif, sommeil...* Parties du corps : *dent, dos, épaule, gorge, ventre...* Adjectifs : *amoureux, fâché, fatigué, lourd, malade, stressé, triste...* Adverbes : *assez, très, trop...*
Unité 11	***Mes repas***	Parler de ses repas : *Je mange... , je bois...* Passer une commande : *Je voudrais..., s'il vous plaît.*	Heures et moments de la journée Aliments et boissons : *beurre, bol, café, café au lait, céréales, confiture, croissant, lait, œuf, orange, pain au chocolat, tartine, thé, vanille, yaourt... beaucoup, peu, bon, mauvais...*
Unité 12	***La météo***	Parler du temps qu'il fait : *Il pleut. Le soleil brille.* Parler d'une action dans un futur proche : *Je vais partir.*	La météo : *neige, nuage, orage, pluie, soleil, vent... Il fait beau, il fait mauvais, il fait froid, il fait chaud, il fait lourd, il neige, il pleut, il y a du soleil, il y a du vent, il y a de l'orage, le soleil brille...* Adverbes : *aujourd'hui, demain...*

Crédits photographiques
Pages 4 et 9 © Colette Samson
Page 13 ht : Ph. © Ian Hanning/Rea ; m ht : Ph. © Richard Damoret/Rea ; m b : Ph. © Jacques Loic/Photononstop ; b © Colette Samson
Page 21 ht : Ph. © NMA06/Warrin/Sipa ; b : Ph. © Pascal Le Segretain/Getty Images/AFP
Pages 23 et 29 © Colette Samson
Page 39 ht : Ph. © J.-D. Dallet/AGE Fotostock/Eyedea ; m ht : Ph. © Bordas/Sipa ; m b : Ph. © Jean-Didier Risler/Grandeur Nature/Eyedea ; b : Ph. © Jean-Luc Petit/Gamma/Eyedea
Page 41 g ht : Ph. © Peter Adams/AGE Fotostock/Hoa-Qui/Eyedea ; g b : Ph. © M. Castro/Urba Images Server ; m ht : Ph. © Luc Boegly/Artedia ; m b : Ph. © Kenneth Poulsen/Rapho/Eyedea ; d ht : Ph. © Sébastien Ortola/Rea ; d b : Ph. © Doug Scott/AGE Fotostock/Hoa-Qui/Eyedea ; b : Ph. © Jochem Wijnands/Picture Contact/Alamy/Photo12.com
Page 47 ht et b : Ph. © J.C. Pattacini/Urba Images Server ; m ht : Ph. © Julien Le Cordier/Hoa-Qui/Eyedea ; m b : Ph. © Émile Luider/Rapho/Eyedea
Page 55 ht : Ph. © Martine Voyeyx/Editingserver.com ; m ht : Ph. © Nicolas Tavernier/Rea ; m b et b : Ph. © Antoine Serra/Rea
Page 56 : Ph. © Raphaël Helle/Editingserver.com
Page 65 ht : Ph. © Lucky Comics ; m ht : Clarke et Gilson © Dupuis, 2001 ; m b : Ph. © Titeuf, t. 9, par Zep © éd. Giènat-2002 ; b Astérix et Cléopâtre © éd. Albert-René
Pages 69 g ht **et 82 :** Ph. © Patrick Ryan/Stone/Gettyimages ; g b et 82 : Ph. © N. Leser/Sucré Salé ; m ht : Ph. © Charlie Abad/Photonostop ; m b et 82 : Ph. © bicentenaire Révolution/Gamma/Eyedea ; d ht et 82 : Ph. © A. Philippon/Explorer-Hoa-Qui/Eyedea ; d b et 82 : Ph. © P. Hussenot/Sucré Salé
Pages 73 ht et **82 :** Ph. © Michel Gaillard/Rea ; 73 m ht : Ph. © Olivia Baumgartner/Corbis-Sygma ; m b : Ph. © Sylva Villerot/Rea ; b : Ph. © Philippe Mariana/Editingserver.com
Page 75 g ht : Ph. © Camille Moirenc/Photononstop ; g b, d ht et d b © Colette Samson
Page 81 ht : Ph. © Chris Rose/Alamy/Photos12.com ; m ht et b © Colette Samson ; b : Ph. © Hamilton/Rea
Page 91 ht : Ph. © Alain Le Bot/Photononstop ; m ht : Ph. © Frank Siteman/AGE Fotostock/Hoa-Qui/Eyedea ; m b : Ph. © Joseph Silva Veer/Photonica/Gettyimages ; b : Ph. © Imagestate/Eyedea
Page 93 © Colette Samson
Page 99 ht et m b © Colette Samson ; m ht : Ph. © Pierre Schwartz/Corbis ; b : Ph. © Doug Pearson/Jai/Corbis
Page 107 ht, m ht et m b : Ph. © Alamy Images/Photo12 ; b : Ph. © Tibor Bognar/Photononstop
Page 108 : Ph. © Serge Sautereau/Grandeur Nature/Eyedea

Édition : Christine Ligonie
Couverture : Graphir
Maquette : Pierre Cavaciuti
Mise en page : Laure Gros
Illustrations : Thierry Beaudenon, Xavier Husson, Isabelle Rifaux
Recherche iconographique : Laure Bacchetta
Photographies : Jean-Pierre Delagarde (p. 7 à 9, 15-16, 25, 30, 33, 34-35, 43, 51, 59, 61, 68, 85-86, 95, 102) © Jean-Pierre Delagarde
Cartographie (couverture intérieure) : Xavier Husson

N° de projet : 10232051
Imprimé en Italie en décembre 2016 par «La Tipografica Varese Srl»